美容のこたえ

小林ひろ美

雷鳥社

はじめに

「どのコスメを使ったらいいですか？」
「何の成分がいいですか？」

私は、美容家という仕事柄、スキンケアに関してこういう質問をよくいただきます。実は、これに即答するのはちょっと難しい。というのも、肌は人それぞれ異なっているので、くわしいことを聞かないうちに「これがいい！」とは言いづらいからです。

たとえば、乾燥肌、普通肌、オイリー肌、敏感肌という肌質や、ニキビ、シミ、くすみ、たるみといった肌悩みも人それぞれですし、年齢によっても肌の状態は大きく変わります。また、日常的にどれくらいスキンケアに時間や手間をかけるかという生活習慣などによっても、適したコスメは異なったりします。

もちろん、そういったことをよく聞いた上で質問にこたえるのであれば、おススメのコスメをお話しできると思うのですが……。

ただ、すべての人に共通してお伝えできることはあります。それは、

「保湿が大事」

ということ。

これは、私が多くの失敗を重ね、悩み、コンプレックスを乗り越えてきた末にたどり着いた信念であり、美容に関するすべての問いに対するひとつの「こたえ」と言ってもいいかもしれません。

ただ、本当に、ここに至るまでには紆余曲折があり、長い長い時間がかかりました。今、思い返すと、私の人生は「美容」とは切り離せないものだったなと感じます。大げさに聞こえるかもしれませんが、私の美容ヒストリーは、私の人生そのものでもあるのです。

そこには、当然ながら母の存在があり、母の愛情や教えを抜きに語ることはできません。

美容研究家でメイクアップアーティストである母・小林照子は、私が幼い頃から「肌を乾燥させないで」「こまめに保湿を」「日焼けを防いで」等々、たくさんのことを教えてくれました。ただ、私がその教えに素直に従ったかどうかは……。

ここでは、まぁ、かなり反抗的なときもあった、ということだけ言っておきましょう。

そんな私が「保湿」の大切さに気づき、保湿ケアを実践することで肌が立ち直り、保湿をベースにした美容法を多くの方にお伝えしようと思った経緯は、第1章に書きまとめました。若かりし頃の反抗的だった（?）話も入っています。ご興味のある方は、読んでいただけると幸いです。

この本では、そういった私自身のスキンケア変遷から得られた「保湿ケア」

を中心に、プラスアルファのお手入れや、「うるおいのある肌」に結びつく「うるおいを呼ぶ暮らし」「うるおいにつながる考え」などをご紹介しています。

第2章では、私がスキンケアの要と信じる「保湿」について考えてみました。保湿ケアが重要なことは知っていても、なぜそれほど重要なのかまで考える機会は少ないのではないでしょうか。そういう方々も、これを読んでいただければ、「肌がうるおっている」ことこそ美容の基本であり、「今」だけでなく「未来」の肌にまで美しさが及ぶことを知っていただけるのではないかと思います。

第3章から第6章は、具体的なケアをご紹介しています。

まず、第3章では、すべての基本となる「保湿ケア」の方法について。特に注目していただきたいのは、「毎日つづけられるシンプルなケア」であるということ。たった3つのステップでOKなのです。飽きっぽくて面倒くさがりの私が、「これなら楽しくつづけられる」と思えたものなので、きっとすべての方に実践していただけるのではないかと思います。

忙しい現代社会においては、みなさん、時間に追われ、ストレスにさらされ、肌のお手入れどころではないときもありますよね。私自身、そういう経験をたくさんしているので、よくわかります。そうした「がんばれないとき」は、無理しなくていい。私はそう思っています。だから、第4章では、ラクにできるお手入れや考え方をまとめてみました。

その代わり、というわけではありませんが、第5章では、「余裕があるとき」にできそうなお手入れをご紹介しています。時間があるときに、楽しみながら肌のお手入れをすれば、健やかできれいな肌が手に入るとともに、心にもうるおいをもたらせるのではないかと思います。

最後の第6章では、美容において私が大切に考えていることや、肌にも影響のあるストレスとの付き合い方などに触れています。いつもいつも気に留めておく必要はありませんが、「知っていると、ちょっといいかも」というお話です。ときどき思い出して意識していただくと、肌も心も暮らしもうるおうのではないかと期待しています。

これらは、最初から順に読んでいただくのはもちろん、知りたいケアや気になる章から読み始めていただいても構いません。「お手入れを見直したいというときに読み返す」「心にうるおいがほしいときに読んでみる」、というのもおススメです。決まったやり方や考え方に縛られず、自由に手に取っていただければ嬉しいです。

この本が、
みなさんのお肌と心と暮らしに
うるおいを届けられることを願って。

目次

第1章

経験から学んだ「うるおい第一主義」

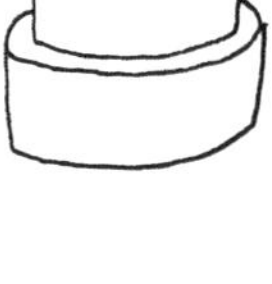

1　乳液を使い始めたのは、なんと3歳から

「なんだか哺乳瓶みたい」

ドレッサーの前に置いてある、丸みを帯びた不思議な形のボトル。母が大切そうに手に取って顔に塗る様子を、いつもそばで見ていたものだ。

誰もいない静かな部屋の中で、そのボトルにおそるおそる手を伸ばしてみる。これまた不思議な形のキャップをなんとか開けてボトルを傾けると、ミルクのような液体がトロリとこぼれ落ちてきた。それを片方の頬につけて、鏡をのぞいてみたら……。

「ツヤツヤしている！」

それが3歳のとき。

私の初めての乳液体験でした。冷静に思い返すと、「そんなに小さい頃の記憶

なんてあるの？」という疑問も湧くのですが、そのときの感動があまりに強烈だったからか、今でも鮮明に記憶に残っているのです。

さらにいうと、乳液を塗った後、頬が「ふかふか」としたやわらかい感触になったことにも人感動。何度も鏡をのぞき、何度も手で頬を触り、そのたびに「うっとり」したこともよく覚えています。

それからしばらくは、母がいないときにこっそり乳液を使っては「ツヤツヤ」「ふかふか」「うっとり」体験を楽しんでいました。いつの間にか、母がいるときでも堂々と使うようになっていましたが。

私の母、小林照子は、美容研究家・メイクアップアーティストとして長い年月にわたり美容に携わってきた人で、今でも現役です。私が生まれる前から日本の化粧品会社に勤めていて、化粧品の研究や開発をしたり、コマーシャル撮影のときにはメイクアップアーティストとしてモデルさんのメイクを担当したりと、忙しい日々を送っていました。

ただ、母はどんなに時間がないときでも肌のお手入れを怠ることはなく、ドレッサーには常にさまざまな化粧品が置いてありました。幼い私からすると、そこは美しい容器やいい匂いがするものがずらりと並ぶ宝箱のような場所。母の真似をしたい気持ちや、肌につけたときの感動を味わいたいという想いから、ドレッサーの前にちょこんと座って、おもちゃ代わりにいろいろな化粧品を触って遊んでいたものです。

そんな私を見て、母は「触っちゃダメ」とは言いませんでした。それよりも、むしろ、肌のお手入れを推奨していたくらいです。

「肌が乾燥しやすいから保湿は大事よ」

「乳液は必ず塗りなさいね」

「唇も乾きやすいからリップクリームも塗るのよ」

と。

私の美容ヒストリーは、こんなふうに、3歳で乳液に目覚めたときにはじまりました。それ以来、母のやることを真似したり、母から肌のことやお手入れ法などを教わったりしているうちに、乳液やリップクリーム、ハンドクリーム、日焼け止めでお手入れすることは普通のことになっていました。私にとっては、「早寝早起きをしましょう」というのと同じくらい、生活の中で当たり前のことと受け止めていたように思います。

スキンケアに関する母からの教えは、ほかにもたくさんあります。

「肌をこすらない」

「できるだけ日焼けはしない」

「刺激的なものはなるべく使わない」など。

このような言葉は、私が小さいときに限らず、思春期の頃も大学生や社会人になってからもよく言われていました。

ただ、そのときどきで私自身がその言葉をどう受け止めるかは異なり、母の教えを守らずに肌が大変なことになった時期もあったのです。

2　13歳から〝美肌反抗期〟。19年間も肌を傷めつけていた！

カラフルでオシャレな海外コスメに目を奪われた13歳

中学生になると、すでにスキンケア歴は約10年。もはや母の真似をする域は超えて、すっかりお手入れが習慣化していました。と同時に、元来、飽きっぽい性格の私は、「つまらない」とも感じ始めていたのです。

そんなときに出合ったのが、当時のソニープラザ（現・プラザ）。海外から輸入したポップでカラフルな雑貨やお菓子などを数多く扱っているショップで、おしゃれな輸入コスメもたくさん並んでいました。

実は、東京の銀座にある小中学校に通っていた私は、毎日、学校の行き帰りに銀座の街中を歩いていて、ソニープラザも通学路の途中にあったのです。そういうこともあって、学校が終わると、魅力あふれる店内に引き込まれるように寄り道をしていたのでした。

そのうち、当然ながらふつふつと湧いてきたのが、「このコスメ、ほしい！」という想い。ところが、その頃の海外コスメはアルコール分が多く含まれていて肌への刺激が強いものもあり、私のように肌が弱い人が使うと肌荒れを起こす可能性があったんですね。そのことをよく知っていた母からは、「あなたの肌は弱いから、肌への刺激が強い化粧品はダメよ」と注意されていたのです。

でも、キラキラ輝いて見える海外コスメがどうしてもほしかった私は、自分のおこづかいでこっそり買ってては、こっそり使っていました。ただ、正直に言うと、アルコール臭も、肌への刺激も、かなり強かった。とはいえ、そのときは、それが効いているような気がしていたんですよね。

案の定、その後、肌が炎症を起こして真っ赤になり、ニキビもがっつりできて、ひどい状態になってしまって……。結局、病院に行って治療してもらい、大きな絆創膏を貼って過ごす羽目に陥りました。母のアドバイスを聞かなかったばっかりに、その代償を払うことになったのです。

そう、これが〝美肌反抗期〟の幕開けでした。

サーファーに憧れ、海で日差しを浴びまくる

そんなある日、母から驚きの一言を言われました。
「ひろ美、あなたもサーフィンをやるといいわよ」
突然のことに言葉も出ない私に向かって、母はこうつづけたのです。
「教えてもらえるように、もう話をつけてきたから」

母は、何ごとにも前向きで、新しいことにもどんどん取り組み、いいと思ったらすぐに実行するタイプ。ということは知っていましたが、それにしてもびっくり。あれだけ「日焼けはダメ」と言ってきたのに、よりによってサーフィンを勧めるなんて。

すぐには信じがたい話でしたが、よくよく聞いてみると、仕事で対談したプロサーファーの方の話に感銘を受けたらしく、「うちのひろ美にもぜひサーフィンをやらせたい」と思ったようなのです。

もともと私は海が好きでした。鎌倉の海の近くに住んでいる友だちがいて、小学生の頃から週末になるとひとりで電車に乗って泊まりに行っていたくらい。大

海原を眺めるのも好き、潮の香りも好き、太陽の光も好き、開放的な雰囲気も好き。とにかく海のある生活に憧れていたんですね。

だから、私としては異存なし。喜んで海に通い始めたのです。

当然ながら、日焼け止めは必需品。母からは必ず塗るように厳しく言われていました。でも、当時の日焼け止めは、肌になじまずにきしむし、ベタベタするし、白浮きするし、と、使い心地が良くないものが多かったんですよね。だから、母が同行するときは塗っていたものの、私ひとりで海に行ったときは塗らないまま過ごしていたのです。肌が弱くて、日に当たると真っ赤になってしまうのに、それにも関わらず、平気で焼きつづけていました。

そんな中、サーファーブームが到来。

「私は砂浜から見ているだけの〝陸《おか》サーファー〟じゃなくて、本当にサーフィンをする〝本物のサーファー〟よ」

という自負もあって、それまで以上に波に乗り、潮風を受け、日差しを浴びまくる日々。

「日焼け止めをきちんと塗らないと大変なことになるわよ」

と、たびたび言ってくる母の言葉も、どこ吹く風。〝美肌反抗期〟まっただ中の私は、日焼けした肌をキープするため、必死になって太陽の光を浴びつづけていました。

その陰で、肌にダメージが積み重なっていったことも事実。高校生のときにニキビがひどくなってツライ思いをしたのですが、こうやって浴びた紫外線の影響も関係していたのではないかなと思っています。

太陽を求めて、フロリダ、カリフォルニア、ブラジルへ

肌トラブルを経験しながらも、「日焼けしたサーファーがオシャレ」という認識は変わりませんでした。誰が何と言おうと、こう思っていたのです。

「太陽に愛されたい！」

その想いがどんどんエスカレートして、留学先に選んだ場所がフロリダとカリフォルニア。太陽がさんさんと降りそそぐ海の町で、ひとり楽しい学生時代

を謳歌しました。

母はそんな私を見かねて、

「スキンケアは投資。そんなに日焼けをしないで、今のうちからちゃんと肌のお手入れをしなさい」

とよく言っていました。でも、その頃は、母の言葉をうるさく感じていたんですよね、「私の目指す〝美〟はそこじゃないぞ」と。あとで、そのツケが回ってくることも知らずに。それで、だんだん母から離れていき、とうとうブラジルに移住するまでになったのです。

ブラジル時代も、とっても楽しかった。「全身くまなく日焼けして、セルライト（皮膚下の脂肪細胞が固まったもののことで、それにより肌表面に凹凸ができる）がないことが美しい」という価値観のもと、すごく小さなビキニを着て、太陽の下に身を投げ出していたものです。

それだけに、日焼けによる色ムラも目立っていたように思います。

そんな私の様子を、ときどき送っていた写真を見て知った母は、「このままでは大変！」と思ったのでしょう。ちょうど発売されたばかりのコーセーの化粧水「雪肌精《せっきせい》」を送ってくれたのです。

ご存知の方も多いと思いますが、雪肌精って、きれいな青いボトルに白い漢字3文字が書かれた印象的なルックスなんですよね。私はパッと見たとたんに心惹かれて、素直に使ってみることにしたのです。

すると、肌がうるおったんです！　透明感が出てきて、ザラつきもなくなった。そして、しだいに日焼けによる色ムラも目立たなくなった！　まわりの友人たちも「いったい何が起こったの？」と驚いたくらい。本当に感動しました。

そうやって母からの贈り物の化粧水に救われて一時的に肌が立て直せたものの、根っからの「太陽好き」が変わるわけではありません。南半球のブラジルが肌寒くなってくると、帰国して日本の夏を堪能し、日本の猛暑がやわらいでくると、またブラジルに戻るというのが、当時の私の生活サイクルでした。そう、ほぼ一年中「サマーガール」スタイルです。

今になってブラジル時代の写真を見返すと、思わず苦笑してしまいます。本当によく日焼けしていて、明らかに別人にしか見えない私が写っているのですから。

3　トライ＆エラーをくり返して気づいた、保湿の大切さ

海外でのびのびと過ごしていた生活が一変したのは、24歳のとき。ブラジルから帰国し、息子を出産したことによるものでした。

これまでのように、海に行って太陽を浴びる時間はなくなり、日に当たることといえば、せいぜい子どもを公園に連れて行くときくらい。日焼けの影響を受けることが少なくなったためか、幸いなことに、肌のトラブルがなくなって安定しました。仕事と育児で忙しかったのですが、そのぶん規則正しい生活を送っていたし、スキンケアも日焼け止めも日常的におこなっていたんですよね。きっと、そんないろいろなことが肌にはよかったのかもしれません。

そうはいっても、太陽を欲する私の気持ちは、長いこと抑えられるものではありませんでした。

子どもが5歳くらいになると、日差しを浴びたいという欲求を満たすべく、年一回のバカンスは海外のリゾート地へ。マレーシアやハワイなどのビーチで、ほぼ一週間、日焼け三昧。ときにはやけどレベルのダメージを受けるなど、シミや色ムラの原因を作ってしまいました。が、20代の間は、保湿をしっかりやって、ブライトニングのコスメを取り入れることで、なんとか回復させることができていたのです。

ところが、だんだん思い通りにはいかなくなっていきます。

特に大変だったのは、忘れもしない32歳のとき。太陽の下で休暇を過ごしたら、日焼けがまたもややけどレベルに。その後、シミやたるみも出現して、一気に老け込んで見える〝肌落ち〟状態になったのです。

そのときは、さすがに慌てました。いくらスキンケアをしても、肌がぜんぜん機嫌をなおしてくれなかったから。やけどが初めてではなかったし、もう20

代でもなかったので、さすがに肌が許してくれなかったんでしょうね……。
結局、肌状態が良くなるまでにかなりの時間がかかったのです。ほんの数年前の20代の頃とは比べものにはならないくらいに。

実は、当時の私は、いざとなれば、高級化粧品や美顔器などの「モノ」に頼ったり、エステサロンなどの「プロ」に委ねたりすればいいと思っていたところがありました。そういった〝他力本願〟の美容と、自力でおこなう毎日のセルフケアの割合は、おそらく「99対1」くらいだったのではないでしょうか。
ただ、それをつづけるには無理がありました。飽きっぽい私としては、同じ高級コスメを使って、同じエステサロンに通うことにすぐ飽きてしまうんですね。それに、他力本願の美容をつづけるには、あまりにお金がかかりすぎました。だからといって、やめてしまうと、また〝肌落ち〟状態に戻る……と。

それで、32歳の日焼け後に苦労した私は、思っていたより「簡単には肌を変えられない」ということを認識し、いつまでも「若いままではない」ということも実感して、だからこそ「生活やケアを考え直さなきゃ」と思うに至ったのです。

そこで、「自分自身できれいになれる美容法を考えよう」と試行錯誤を始めました。

まずは、母が言いつづけていた、

「肌をしっかりうるおわせることが大事」

「肌に刺激の少ないものを使うように」

という言葉を思い出して見直したのが「保湿」です。小さい頃から習慣となっていたスキンケアですが、どのようなやり方なら効果があるのか、どうすればつづけられるのかなど、いろいろな化粧品を使いながら試しました。

使わなくなった美顔器を見て「もったいない」と思ったところから、「自分の手や身近なものが美顔器の代わりになるのでは?」と発想したのもこの頃。そして、自分の手や指のいろいろな部位を使ってみたり、スプーンを使ってみたりもしました。

信頼する人から「顔だけでなく、体全体の血液やリンパの流れをよくすることも大切」という話を聞き、さっそくオイルを塗って全身を巡らせる美容法も取り入れてみました（くわしくは第5章・4「美容オイルで巡りを促して、保湿力をさらにアップ」でご紹介しています）。

また、飽きっぽくて面倒くさがりの私が毎日つづけるには、お手入れがシンプルであることも大切だと感じました。

そうやってトライ＆エラーをくり返しているうちに、「冷たいスプーンを肌にあてていたら毛穴が引き締まった」という嬉しい変化も経験。やがてシミが薄くなり、次にシワが消えて……気づいたら、肌がうるおってツヤツヤしていたのです！

これまで、肌が弱いためにすぐ炎症を起こして赤くなったり、ニキビがひどくてツライ思いをしたり、日焼けによる色ムラが出てしまったり、シミ・シワが出現して老けた印象になったり……と、肌トラブルに悩まされ、そのたびにいっぱい迷って失敗もしてきました。

でも、自分で毎日つづけられるシンプルなお手入れをしていれば、それらを克服できるとわかったのです。

そして、何よりも大切なこともわかりました。

すべての基本は「肌をうるおわせること＝保湿」。

シミやシワ、たるみ、ニキビ、毛穴の開きなどをなんとかしたい、という想いが強いと、高機能コスメや先端のケア、ユニークな美容法に目を奪われてしまいますよね。それらも効果があるのですが、どれも「うるおった肌」という土台があってこそ十分に効果を発揮させられるものなのです。

つまりは、「保湿ありき」。

保湿は、スキンケアの中で地味な存在に思う方もいるかもしれませんが、甘く見てはいけません。どれだけ美肌になれるかのカギを握っているのです。

どんな肌質でも、どの年齢であっても、どんな肌悩みに対しても、共通して重要なことが「保湿」だということに気づいてからは、肌の調子が落ちることはなくなりました。

そこにたどり着くまで、実に19年もの年月がかかりましたけどね。

4　私の声を聞いてくれる人のために、美容家の道へ

少し時期が前後して28歳のときの話ですが、大学時代の友人たちと温泉旅館に泊まったときのこと。

「最近、目の下のクマが気になるのよね」とか、「ほうれい線がくっきりと出てきちゃった」なんてワイワイおしゃべりをしながら、みんなでメイクを落としていました。私も一緒にクレンジングをしていたのですが、みんなの様子を見て思わず声を出してしまったのです。

「それ、ちょっとこすりすぎかも……」

クレンジングクリームをつけて肌をゴシゴシしたり、ティッシュでガーッとふき取ったりと、とにかく肌を強くこすっていたからです。

その後、温泉上がりのスキンケアでは、化粧水をササッとつけただけで、もう終わりの様子。

「もう少し、しっかりなじませてみて！」

また気になって、つい口にしてしまいました。すると、友人たちから大ブーイングが巻き起こったのです。

「そういうことを教えてよ！」

「ずっと前から、教えてって言っていたのに」

「いつも特別なことは何もしていない、って言うばっかりで」

びっくりしました。

「えっ、こんなことでよかったの？」

と思わず聞き返すと、

「ひろ美はお母さんが美容のプロだから知っているけど、私たちは知らないのよ」

というのです。

私は当たり前のことをやっているだけで、人に言うほどのことじゃない、と思っていました。まさか、誰かに何かを教えるなんて、考えてもいなかった……。

でも、友人たちからすると、そうじゃなかったんですね。美容のプロである母をもつ私が「当たり前のこと」「フツウのこと」と思っていたことも、「教えてほしいこと」「知りたいこと」だったんだ、と。

温泉旅館で、その事実にはじめて気づいたのです。

私は小さい頃から、肌やスキンケアについて母からたくさん教えられてきたと思います。その中には、はっきりと言葉で伝えられたこともあれば、無意識のうちに身についたこともあります。

10代、20代の〝美肌反抗期〟には母の教えに背き、苦い思いを経て、トライ&エラーをくり返しながら自ら多くのことを学びました。そして、保湿をベースにしたお手入れの大切さを悟り、おうちでできるセルフケアを実践してきたのです。そんな私がやっているお手入れは、誰でも毎日つづけられるシンプルなケアや、お金をかけなくてもちょっとした工夫でできるケアばかりです。

それに、ひどい肌落ちを何度も経験したからこそ、肌トラブルに悩む人の気持ちに寄り添えるかもしれない、とも思いました。

そのとき、私の美容法や情報を喜んでくれる人の顔が、はっきりと頭に浮かんだのです。「美容のプロ」を育てる母のようにはなれないけれど、「お手入れに迷っている方たち」のお役に立てるのかもしれない、と。

そうやって人生の目標ができたのです。と同時に、これまで抱いていた偉大な母へのコンプレックス、認めたくなかった自分の劣等感がすーっと消えていくのがわかりました。「これで生きやすくなった」と感じた瞬間です。

こうして私は「美容」を仕事として意識し、一歩を踏み出しました。

「日常でできることだけで大丈夫。特別なことをしなくてもきれいになれる」

このメッセージを多くの方に届けて、肌の悩みを抱えている方のお役に立ちたい。そして、多くの方を喜ばせたい。
そのときに芽生えた想いは、今も変わらず私の心の中にあります。

5　保湿ケアは、つづければ必ず肌がこたえてくれる

かつて10代の頃、「よし、受験勉強をしよう！」と意気込んで書店に向かい、参考書選びに2時間くらいかけたことがあります。参考書がずらりと並ぶ書棚の前に座り込み、似たような本をいくつも並べ、同じ単元をそれぞれ開き、じっくり見比べて、「これ！」と思う一冊を購入。と、ここまではいいのですが、そこで大満足。もう終わり。残念ながら、成績にはつながりませんでした。

美顔器でも似たような経験が。「これを使えば肌がきれいになるはず！」と、勇んで買うまではいいのですが、説明書を読むのが面倒になってしまい、たいして使わないいまま、どこかにしまい込んでしまった……。

ヤル気は十分にあったとしても、実践に結びつけてつづけていかなければ効果はあらわれるはずもないんですよね。

スキンケアも同じ。つづけることが大切。ここがいちばん重要、と言ってもいいくらいです。

もともと、私は飽きっぽくて、面倒くさがり。

だからこそ、私の美容法は、自分自身が陥りがちな「つづかない」を防ぐためにも、簡単なことが一番。基本は「保湿ケア」のみ。やることもいたってシンプル。難しいテクニックは要らず、特別な美容器具も使いません。時間だって、朝と夜それぞれ3分ほど。義務と思わず、がんばらない程度に習慣化するためにも、ささっと終わらせられることが大切だと思うからです。

そうやってお手入れをつづけていれば、必ず肌はこたえてくれます。

ただ、すぐに成果を求めないようにしてくださいね。野球だって、いきなりホームランは打てないけれど、しっかり素振りをつづけていれば、やがて打てるようになるもの。スキンケアも同じで、一日二日では変わらなくても、つづけていれば、やがて肌はうるおいで満たされて、ツヤやハリのあるきれいな肌になるのです。

この「つづければつづけるほど、きれいになる」というのが美容のおもしろいところだと思います。

本来なら、年齢を重ねれば重ねるほど、肌の状態は落ちていくはずなのですが、正しいケアをつづけていれば、落ちるどころか、きれいになる。実年齢と肌年齢が乖離していくこともありうるのです。

これは私自身が実践し、経験してきたことでもあります。過去にひどい日焼けでどん底まで肌落ちしたけれど、そこから保湿ケアをつづけることで立て直してきた。若かった頃よりも、今のほうが良い肌状態なのです。

そして、この先も、うるおって生き生きとした肌をキープできるようにお手入れをつづけていきたい。

それも「やらねば」という義務感ではありません。私は、お手入れが「つまらない」「しんどい」と思ったら、その段階でやめていいと思っています。義務でお手入れしていてもストレスになるし、そのうち「キライ」になってしまうかもしれないので。

だから、私はスキンケアを楽しむようにしています。

「楽しんでお手入れしていれば、無理なくつづけられて、肌がきれいになる」

そう思うと、ちょっと気がラクになるのでは？

これこそ、私が美容で大切にしていることなのです。

6 目指すはビューティフルエイジング！

枕の跡がなかなかとれない。マスクの跡がつきやすい。

そんな経験はありませんか？　これは、肌が乾燥して、弾力がなくなっているサイン。エイジングのサインと受け取ってもいいと思います。

美容の話の中で「アンチエイジング」という言葉がよく出てきますが、これには「抗老化＝老化に抗う」という意味合いがあります。ただ、私としては、この言葉、ちょっとネガティブに感じてしまいます。というのも、年齢を重ねて円熟していくのは当たり前。必ずしも「抗う」ことがいいようには思わないからです。

私たちは、どうしてもエイジングをネガティブに捉えすぎていて、怖いとおびえたり、負けないように闘おうとしがちです。さらには、過去の自分を理想の姿だと設定して、無理やりそこに戻ろうとしたり、戻れないことに失望したりと、自分で自分を苦しめていることもあります。

でも、私自身としては、年齢を過度に気にしないほうがいいように感じるのです。そうではなくて、もっと大らかな気持ちで構えればいいのでは？　と。

だから、私は、自然な美しさ「ビューティフルエイジング」を目指していきたいと思っています。

これは、80代後半の母を見ていても思うこと。母は「年齢には負けないわよ!」と鼻息を荒くするのではなく、「もう年をとっちゃって」と笑いながらも、自分に自信をもっているように見えるんですよね。好奇心が旺盛で、常にアンテナを立てているから、どんどん新しいことをやって、いろいろな人とつながっていく。スキンケアでいえば、保湿ケアを必ずやっていて、肌はぴかぴか。気力も体力も充実していて、内面も外面も輝いているのです。

そういう良いお手本がそばにいるので、こんなふうに思えるのです。

「何歳になってもやれることはあるのだから、抗い恐れる必要はない」

私自身、毎年、元旦に立てる一年の目標は、「新しいことへのチャレンジ」や「これまでの経験や既成概念にとらわれて否定しがちなことからの脱脚」。

年齢とともに考え方が凝り固まりやすくなるので、何も考えずに当たり前のことだけをやっていると、視野が狭くなったり、感覚が古くなったりするような気がするのです。だからこそ、いままで興味がなかったことや苦手意識をもっていたことに目を向けてみよう、というわけです。

実際、日頃から、いろいろな方と交流するように心がけています。仕事やプライベートでいつもご一緒する方たちは、気心が知れていて楽しいのは間違いないのですが、その方たちとはまた別の方たちとも会って話してみたいのです。

そして、誰かから感銘を受けたものや好きなことの話を聞いたら、私もとりあえずトライしてみる。それが、思いがけず、日々の生活を楽しくしてくれることも、しばしば。ときには、美容の貴重なヒントになることもあります。こういうことが、私の考えや暮らしを錆びつかせることなく、生き生きとした毎日を送れているカギになっているのかな、と思っています。

それから、もうひとつ、これまでにもお話したように、肌のお手入れも日々の暮らしも楽しんでこそ「ビューティフルエイジング」をかなえられると思うんですよね。そういうことでいうと、私は「太陽に愛されたい」というＤＮＡが体内にあると信じているので、それを否定することもないのでは……とも思っています。

つまり、「日焼けは肌に良くない」ということは知っていますが、「日差しを浴びながらバカンスを楽しむ」のも絶対にNGというわけではない、と思うのです。

だって、人生、楽しまないともったいないじゃないですか。

だから、すべてにおいて「こうしなくてはいけない」「こうあるべき」と決めつける必要はないと思います。

自然体で、楽しみながら、ゆるやかに、年齢を重ねる。

そして、保湿ケアをして、肌をうるおわせて、表情も気持ちも生き生きと！

そんなビューティフルエイジングを、みなさんも一緒に目指しませんか？

第2章

肌がうるおっていると、いいことばかり

1　知っていても、意外にできていないのが「保湿」

「保湿が大事」

このことを知っている方は多いかもしれませんね。

では、みなさん、どれくらい正しい保湿ケアができているでしょうか。

保湿とは、乾燥から肌を守るために水分を与えることですが、それだけではありません。一時的に肌をうるおわせるだけでなく、その後も水分をキープし、蒸散しない状態を保つこと。ここまですべてやって保湿といえるのです。

具体的なお手入れでいえば、化粧水で肌に水分を与えて「うるおす」、さらに、その水分が逃げないように乳液やクリームなどの油分で肌表面に「フタをする」ということです。

もっというと、私の美容法では、うるおす前に、汚れやメイクを「落とす」ことも大切だと位置づけています。つまり、「落とす」「うるおす」「フタをする」がしっかりできてはじめて正しい保湿ケアができた、と考えています（くわしくは第3章でご紹介しています）。

では、そのことを踏まえて、みなさんは正しい保湿ケアをしていますか？

私は温泉など、行くと、仕事柄、友人や周囲の方たちのお手入れの様子がどうしても目に飛び込んできてしまうのですが、私からすると、多くの方が十分に保湿できていないように感じます。例えば、クレンジングや洗顔のときに肌を強くこすっていたり、化粧水はパッパッと頬にのせるだけだったり、乳液やクリームをつけないまま終わってしまったり……。

もしこのようなケアを365日やっている人と、正しい保湿ケアをつづけている人がいたとしたら、肌状態は絶対に違ってくるはず。たとえ同い年であっても、日々の積み重ねは大きな差を生むのです。

みなさんも、この機会に、いつものスキンケアを振り返ってみましょう。

朝と晩、それぞれどれくらいの手間をかけていますか？　使っているコスメは何ですか？　シミやたるみ、ブライトニングなど、肌悩みに特化したケアばかりに目を奪われていませんか？　自分の肌状態や変化を把握していますか？

今、あなたの肌はうるおっていますか？

2　「肌がうるおっている」って、どんな状態？

「パサパサのクッキー」対「しっとりとしたパウンドケーキ」。

これは、私が「うるおった肌」の説明をするときによく使う、例えのひとつです。

もちろん、うるおった肌は、後者の「しっとりとしたパウンドケーキ」。なめらかな触感でやわらかく、適度な弾力があって、キメが整っている状態がよく似ていると思うのです。

一方、「パサパサのクッキー」は、うるおいが足りない肌の例。乾燥していて、弾力がなく、こわばっている状態が共通していると思うから。とはいえ、クッキーにもいろいろな種類があって、パサパサ（サクサク？）していて美味しいものもいっぱいありますが……。

私たちの肌表面は、「角層」と呼ばれる約0・02ミリの薄い層でおおわれています。この角層にはバリア機能があり、水分をキープして蒸散を防ぐ保湿と、ホコリや汚染物質などの外部刺激から守る保護という役割を担っています。

ここで重要なのが、バリア機能を発揮するために欠かせない3つのうるおい成分。水溶性の「天然保湿因子（NMF）」、油溶性の「細胞間脂質」、それに水分と油分が混ざった「皮脂膜」です。

つまり、肌がうるおっている状態というのは、必要な水分と油分がバランスよく存在して、バリア機能が健全に働いている状態。キメも整うので、光をきれいに反射してツヤと透明感が生まれ、ハリと弾力ももたらされて、生き生きとした美しい肌になるのです。

では、うるおいが不足するのは、どのようなときでしょうか。

たとえば、乾燥した空気や紫外線などにさらされると、角層から水分が逃げていきやすくなるため、うるおい不足に陥りやすくなります。

また、加齢や睡眠不足、ストレスなどの影響により、肌の新陳代謝がスムーズにおこなえなくなることも、要因のひとつ。古い細胞がはがれ落ちずに肌に残ってしまうため、水分をしっかり吸収・保持できなくなってしまい、やはり、肌のうるおいが足りない状態を招くのです。

間違ったお手入れもキケンです。クレンジングや洗顔、スクラブ洗顔、マッサージなどで肌を強くこすりすぎると、角層が傷ついてバリア機能が落ちてしまうので、水分が逃げやすい肌状態になってしまいます。

目指すは、「しっとりとしたパウンドケーキ」。

日々のスキンケアで、やわらかくて弾力があり、キメが整っていて、さらに、ツヤも透明感もある「うるおった肌」を、ぜひ手に入れましょう。

3　ブライトニングもリフトアップも、うるおった肌があってこそ

乾燥してカチカチに硬くなった布に液体洗剤をたらしても、布の上に洗剤がそのまま乗っかるだけで、なかなか染み込んでいかない……。

そんなときは、布に水をしっかり含ませてやわらかくすると、洗剤がすんなり吸い込まれていく。

こういうことって、経験的に知っている方も多いのではないでしょうか。

実は、これ、スキンケアでも似たような説明ができるのです。

布を肌、液体洗剤を高機能コスメとすると、乾燥して硬くなった布には液体

洗剤が染み込まないように、乾燥してこわばった肌に高機能コスメを使おうとしても、肌への浸透や吸収がスムーズにいかなかったりして、期待通りの効果が得られない、と考えられるのです。

ここで高機能コスメといったのは、基礎的な保湿ケア以外のもので、肌悩みを解決するための美容成分などが配合されたもののこと。シミ、シワ、くすみ、たるみ、毛穴の開きという代表的な肌悩みを「5大肌悩み」といったりしますが、これらをケアするためのブライトニングやリフトアップといった高い機能をもつコスメもその例。とても人気があるので、日頃から使っている方もいることでしょう。

ただ、このようなコスメは、もともとの肌がうるおっていて、はじめて効果が実感できるもの。水分があってやわらかい布には洗剤がすーっと吸い込まれるように、シミやたるみなどの肌悩みを解決したいときも、まずは肌をしっかり保湿して、効果の高い美容成分を受け入れられるようにコンディションを整えることが大切なのです。

もう少しくわしく知りたい方のために、肌の内部で起きることに目を向けてみましょう。

うるおった肌では新陳代謝が正常におこなわれます。そうすると、古い角質が順にはがれ落ちていくので、シミやくすみを薄くする美容成分も効果を発揮しやすく、メラニンの蓄積による色素沈着を防ぐこともできるんですね。

さらに、うるおった肌はバリア機能がしっかり働いているので、紫外線などのダメージを減らせることも大きなポイント。紫外線は、シミの原因になるだけでなく、ハリや弾力に関わるコラーゲンやエラスチンという繊維を変形・減少させるので、シワやたるみにもつながってしまいます。そんなわけで、このようなダメージを防ぎながら、機能の高いコスメを使うことが効果的なのです。

つまるところ、どんな肌を目指していても、どんな肌悩みをケアするとしても、保湿は欠かせないということ。シミ、シワ、くすみ、たるみ、毛穴の開きなどのお手入れは、プラスアルファと捉えてもらってもいいと思います。

これは決して大げさではありません。そもそも保湿がきちんとできているだけで、生き生きとしたツヤが「勝手に」ついてくるんです。それだけで、ナチュラルで美しいツヤのある肌が手に入るなんて素晴らしい！　そう思いませんか？　そのうえで、プラスアルファとして、肌悩みに特化した高機能コスメでケアすればいいんです。

スキンケアの基本は、保湿。

正しい保湿ケアをすることこそが、美肌への近道なのです。

4　今の肌状態を知るには、小鼻と頬骨をタッチして

今、あなたの肌はどのような状態でしょうか。

しっとりしている？　乾燥している？　ベタついている？　ぜひ確認してみてください。

さて、今、どこをどのように触ったでしょうか。

肌の状態を確認するとき、指や手のひらで頬を触る方が多いのではないかと思います。が、私は、いつも手を軽く握り、中三指（人差し指・中指・薬指）の第1関節と第2関節の間の面を使って2つの部位をチェックしています。

まずは、小鼻のワキ。ここは顔の中でもっとも油分が多いところです。もうひとつは頬骨のトップで、ここは皮膚が薄くて水分をとどめにくいところ。この2ヵ所を交互に触ると、肌の油分と水分のバランスを読み取れるのです。

特に、必ずチェックする時間帯は、朝、起きたとき。なぜなら、前の晩のお手入れが正しくできていたかどうかを判断できるから。もし、小鼻のワキがヌルッと脂っぽくなっていたら、油分を与えすぎたということ。一方、頬骨のトップを触ってみたときに、カサつきやツッパリ感、ゴワつきなどを感じたら、保湿が足りないということになります。

理想は、この2ヵ所の質感ややわらかさが揃うことです。だから、触ってみて、どちらも同じようになめらかであれば、「昨晩のお手入れは正しかったんだ」とか「このコスメは今の私に合っているな」ということがわかり、自信をもってお手入れをつづけられます。

ただ、油分と水分のバランスが異なっていたとしても、心配しすぎなくて大丈夫。「部位によって少し量を変えてみよう」とか「乳液をもっと多めに使おう」など、夜のお手入れを見直したり、朝のお手入れで補ったり、といった調整をすればいいのです。それに、私がおススメする保湿ケア（第3章でご紹介しています）をつづけていれば、しだいにバランスが整っていくはずです。ぜひお試しください。

この肌状態チェックとは別に、もともとの自分の肌タイプを確認する方法もあります。それには、洗顔後の肌で判断します。洗顔後10分ほど何も塗らずに放っておいたら、どのような肌状態になるでしょうか。チェックしてみましょう。

◆「普通肌」軽く突っ張るような感触がありながら、しばらくすると突っ張らずになじむ。

◆「乾燥肌」目のまわりも鼻のまわりも、パキパキに乾いてしまっている。

◆「敏感肌」乾くだけでなく、かゆみも出る。

◆「混合肌」目のまわりは突っ張るけど、額と鼻のＴゾーンは少し脂っぽくなる。

◆「オイリー肌」顔全体が脂っぽくなる。

これを目安に、自分の肌状態に合うコスメを選んだり、ケア方法を探ったりするといいかもしれません。

スキンケアでは、こういうチェックがとても大切です。なぜなら、肌のコンディションは季節や体調、年齢などによって変わるので、ずっと同じお手入れをつづけていても、肌に合わなくなることがあるからです。

毎日、自分の肌と対話しながらお手入れをし、きちんとチェックする。そして、必要ならば肌状態に合わせてお手入れを見直す。

つまり、「トライ&チェック」。
こうやって自分の肌に関心をもって前向きにケアすることが、うるおった美肌につながります。

みなさんも、さっそく今日からお肌のチェックをぜひ習慣に！

5　肌がうるおうと、コミュニケーション力までアップ⁉

ちょっと唐突ですが、顔や肌って「私はこういう人です」という名刺のようなところがあると思うのですが、みなさんはどう思いますか？

というのも、人と会ったときに、おそらくまず目に入るのが「顔」ですよね。中でも、意外と印象を左右するのが、面積の大きい「肌」だと私は思います。

目などのパーツほど意識的に見てはいなくても、生き生きとした肌、ツヤツヤした肌の持ち主だと、無条件で目も気持ちも引き寄せられるように思うのです。

ただ、私は美容家という仕事柄、よけいにそう感じるのかもしれません。美しい肌の人に会うと、「この人は、なんて肌がきれいなの！」「どんなお手入れをしているんだろう？」「ふだん何を食べているの？」と、いろいろ聞きたくなるし、どんどん知りたくなる。そう、相手に興味が湧くのです。だから、その方が話している内容にも、よりいっそう関心がもてて、良いコミュニケーションが生まれるように思います。

でも、私に限らず、一般的に、暗い印象の人よりも、明るくてハツラツとしている人のほうが楽しそうに見えるので、近づきたくなるし、話をしたくなるものではないでしょうか。もちろん、これは肌が醸し出す雰囲気だけではなく、人柄などにもよるので、一概には言えません。が、肌も人の印象に少なからず影響を与えているように思えてならないのです。

とはいえ、これは「全員がキラキラピカピカの完璧な肌になるべき」という意味ではありません。一人ひとりが「自分らしく」「心地いい」と思えるような肌を目指せばいいのです。

その一番の近道が「保湿」。なりたい肌や理想とする肌がどんなであれ、肌タイプや年齢がどうであれ、健康で生き生きとした肌はすべての基礎となるもの。そのために不可欠なのが保湿だからです。


また、保湿をはじめとするスキンケアは、日々、自分の肌に向き合うことでもあります。肌状態は季節や体調などによって変化するので、スキンケアを通して自分の小さな変化に気づくこともあります。「最近、空気が乾燥しているからか、肌がカサカサしてきたみたい」「肌がくすんで見えるのは、疲れが溜まっているせいかも」など。

そうやって日頃から自分の肌をいつくしむお手入れをしていると、自分を大切にしているという想いが育まれて、自分自身をハッピーな気持ちにさせられたり、自己肯定感を高められたりするのではないかと思います。

そうなれば、誰かと話をするときも、自信をもって自分の言葉を発せられるし、相手の話を聞くときも、穏やかで前向きに受け取れるのではないか、と。

これも、コミュニケーションを円滑に進める秘訣といえるでしょう。

自分自身の肌が明るく生き生きとした状態であること、そして、肌をいつくしむお手入れをしていることは、コミュニケーション力を高めるひとつの方法なのではないか。そんなふうに思います。

6　保湿は未来の肌への積立貯金。さっそく今から始めましょう

塵《ちり》も積もれば山となる。

きっとみなさんもよく知っている言葉だと思います。「塵のように小さなことであっても、時間をかけて積み重なれば、山のように大きな成果が得られる」という意味ですよね。私はこれを略して「ちりつも」とよく言っているのです

が、スキンケアって、つくづく「ちりつも」だと思うんですよね。特に、保湿ケアはその意味合いが強いなって思います。

一般的に、コスメは、今日使ったからといって、翌日に急激な変化があらわれることはありません。日々、お手入れしつづけることで、美しい肌を手に入れることができる。そういうものです。

その日々のお手入れについても、なにも大げさなことをする必要はないと思っています。シンプルな保湿ケアだけで十分。つまり、「シンプルなお手入れ＝塵」を積み重ねることで、「うるおった美肌＝山」に結びつくのです。まさに、「ちりつも」というわけですね。

こうやって保湿ケアを毎日つづけていれば、肌は乾燥することなく健やかな状態を保てるので、シミ、シワ、くすみ、たるみ、毛穴の開きといった肌トラブルも、そう簡単には寄せつけません。特にそれは、年齢を重ねて肌悩みが出てきやすくなる頃に、よりいっそう実感できるのではないかと思います。周囲の同じ年齢層の人と比べても、「あー、私はうるおったきれいな肌を保てているな」と。それだけ保湿ケアを積み重ねることに意味があるのです。

現在、若い年齢層のみなさんは、深刻な肌トラブルを抱えていないことが多いので、保湿ケアの重要性をそれほど感じていないかもしれません。

でも、正しい保湿ケアを少しでも早く始めたほうが、未来の肌に差をつけられます。保湿は「ちりつも」。もう少しメリットが感じられる表現を使うとすると、「積立貯金」。少しでも早いうちから積立貯金（＝保湿ケア）を始めれば、より多くの貯金ができ、将来にわたって安定した状態（＝うるおった美肌）をキープしやすいのです。

だから、保湿ケアはお手入れの基本と捉えて、ぜひ今日から始めてください。

そうなると、読者のみなさんの中には、「もう年齢《とし》だから」と諦めてしまう方もいるかもしれませんね。が、いえいえ、ぜんぜん諦める必要はありません。すぐには成果があらわれなかったとしても、保湿ケアを始めれば、そのときから肌にうるおいが行きわたり始めて、しだいに「うるおった肌」に導かれます。積立貯金も、やらなければずっと「ゼロ」ですが、やり始めたら、そのときからお金が貯まり始めます。最初は少しでも、どんどん貯まっていきます。だから、ぜひ今日から始めていただきたいと思います。

保湿ケアは小さなことのように思えても、つづければ大きな成果を生むもの。微差が大差を生むのです。

美しい肌に向けて、今日から第一歩を踏み出しましょう。

第3章

朝と夜に、いつもすること

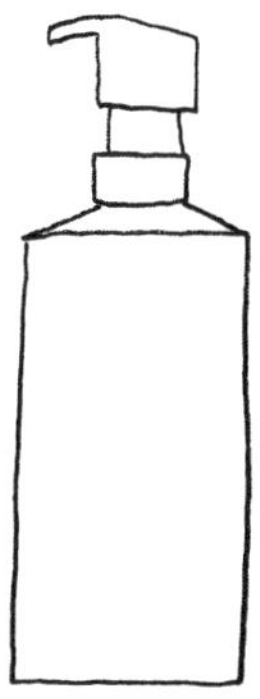

1　大切なのは毎日つづけること

夏と冬は魔の季節。

これは私の実感とともに、みなさんにもよくお伝えしている言葉です。意味するところは、「暑さの厳しい『夏』は、汗をたくさんかくのに肌内部は乾燥しやすく、また、空気が乾燥する『冬』は、肌の表面も内部も乾燥してしまう」というもの。

肌の状態は常に一定ということはなく、季節や体調などによって揺らぐことが多いんですよね。特に、夏と冬は肌の乾燥が加速しやすいので、「魔の季節」と捉えて、いつも以上に注意をしたい、ということなのです。

このように、季節などにより肌が揺らいだとき、みなさんはどんなお手入れをするでしょうか。

さまざまなコスメやケアで立て直そうとする人もいますが、こういうときこそ重要なのが保湿です。正しい保湿ケアをつづけることが何よりも大切で、気になるときは、より丁寧にお手入れをすることが一番。さらに、余裕があるときや集中ケアをしたいときは、自分でできるお手入れ（第5章でご紹介しています）をプラスするといいでしょう。

もちろん、比較的、肌状態が安定している春と秋も保湿は大切です。日頃から十分にお手入れしている「うるおった肌」がベースにあれば、さまざまな変化の影響を受けずに済む「揺らぎにくい肌」が実現できるからです。

これまでもお話してきたように、保湿はしっかりやりつづけることに意義があります。

「肌がカサカサしてきたから」と、1回お手入れしただけではそれほど急激な効果が感じられなくても、つづければ確実に肌はうるおってきます。そして、つづければつづけるほど、肌はうるおいに満ちて揺らぎにくくなります。

ただ、ときには、疲れていたり面倒くさくなったりして、お手入れ自体がツラく感じることもあるでしょう。そんなふうにストレスになるのは肌にとってもメンタルにとっても良くないので、無理をしないでOKです。

私の中では、美容に「やらなくてはならないこと」はひとつもない。美容は自分をきれいにするための儀式なのだから、眉間にシワを寄せて「ツライ、キツイ」と思いながらするものではない、と思うのです。

私の母も、「ケ・セラ・セラ（なるようになる）」ということを口にすることがあります。美容って、そういう「ゆるさ」も必要だなと思います。

そう、むしろ、スキンケアは鼻歌まじりでできるのがいいところ。「ラララ〜」なんて歌うくらいのリラックスした気持ちで、コスメの心地よい感触や香りに包まれる。それって、楽しいことだと思うのです。楽しいと感じれば、自然とお手入れもつづけられますよね。

みなさんも、肌のお手入れをぜひ楽しんでください。本当に鼻歌を歌いながらでも構いません。そうやって朝と夜の保湿ケアを毎日つづけていれば、季節の変化などに影響されなくなり、いつの間にか、うるおった美しい肌に生まれ変わっていることに気づくに違いありません。

２　朝３分、夜３分。シンプルな３ステップだけできれいになれる

私は飽きっぽくて面倒くさがりなタイプだと自覚しているのですが、その反面、まじめな部分も持ちあわせています。仕事でも何でもきっちりとやり過ぎる傾向があるんですね。プロとして美容を追求するには向いているのかもしれませんが、自分の生活すべてをストイックに突き詰めてしまうと、息ができなくなってしまう。ストレスが溜まるし、しかめっ面になるので、肌にもよくありません。

そんなときは、抱えすぎていることを手放してみたり、凝り固まったアイデアを整理してシンプルに考えてみたりします。そうすると、思いがけず、良い方へと向かうことがあります。

スキンケアも同じです。

いろいろなお手入れを毎日しっかりおこなうのもいいのですが、「これをすべてやらねば」と自分にプレッシャーをかけて日々やりつづけるのは、けっこう大変。だから、私の美容法では「シンプルが一番」と考えて、基本のスキンケ

アは、本当に必要な保湿ケアに絞っています。シンプルであれば、無理なく毎日つづけることもできます。

それが、「落とす」「うるおす」「フタをする」の3ステップです。

くわしくはこのあとで述べますが、ここでそれぞれのケアについて簡単にご紹介しておきます。

ステップ1「落とす」

まずは、肌をおおっているファンデーションや顔についた汚れ、毛穴に詰まった皮脂や古い角質などを、クレンジング（メイク落とし）と洗顔で取り除きます。次の化粧水をスムーズに浸透させるためにも、このステップはとても大切。

ステップ2「うるおす」

きれいな状態になった肌に、化粧水（ローション）でうるおいを与えます。

水分や水溶性の美容成分がしっかり浸透して、角質層のすみずみまでうるおいが行きわたると、肌がやわらかくなって、キメも整います。

ステップ3「フタをする」

化粧水で与えたうるおいが奪われないように、油分の膜を肌表面に張ってフタをします。フタの役割をするのは、ジェル、乳液、クリーム、バームなどがあり、それぞれ使い心地が異なるので、好みのものを選べばOKです。

この3つのステップが、スキンケアの基本となるもの。全部やって合計3分ほどです。歯磨きと同じように、いわれなくても手が動いてしまうくらい習慣にしたいから、3分くらいがちょうどいいと思うのです。

朝3分、夜3分。

これなら、面倒くさがりの人でも、毎日つづけられるのではないでしょうか。

3　こわれものを扱うように、とことんやさしく

みなさん、スキンケアをするときは、どのように肌を触っていますか？　メイクを落とすとき、顔を洗うとき、タオルで水滴を拭くとき、化粧水やクリームを塗るとき……。もしかして、ゴシゴシとこすったり、グイグイと塗り込んだりしていませんか？

肌はとてもデリケートなので、心当たりがある方は、要注意。一生懸命にやっているつもりでも、かえってそれが肌にとっては摩擦となり、負担となって、シミやシワ、肌荒れなどの原因になってしまう恐れがあるのです。

スキンケアに強い力は必要ありません。ポイントさえおさえれば、理想の保湿はかなえられます。

また、当然のことながら、顔は平たんではありません。立体的です。鼻が高いのはもちろん、平たんに見える頬や額にも凹凸があったり、小鼻のワキは奥まっていたりします。意外に気づきにくい部位が、こめかみ。もし可能であれ

ば、今、指先でそっと触ってみてください。周囲と比べると、こめかみ部分は少し凹んでいることがわかるのでは？

そんなふうに顔には凹凸があるので、化粧水やクリームなどを手のひらでパパッとつけたりササッと塗っただけでは、つけ忘れ、塗り漏れが出てしまいます。特に、小鼻のワキ、鼻のすぐ下、目のキワ、まぶた、ほうれい線やシワの溝など。抜けや漏れがあると、そこは保湿が不十分なために、赤みが生じたりシワが深くなったりすることがあります。

美は微細なところに宿るもの。

だから、細部まで丁寧にケアすることが大切です。

具体的にポイントを挙げてみましょう。次の（１）はすべてのステップに共通で、どんなときにも気を付けたいポイント。（２）以降は、特に化粧水やクリームなどをつけるときに共通のポイントです。

（１）肌を触るときは、こわれものを扱うように、とことんやさしく丁寧に。

（2）肌をこするのではなく、押しあてるのが基本。
（3）顔全体に広げるときは、手のひらや指先をタテにしたり横にしたりと向きを変えながら、何回か重ねる。
（4）目のキワや小鼻のワキなどの細かい部位は、人差し指のサイド（第一関節の内側）を使って、押さえるようにして入れ込む。
（5）目尻やシワなどの溝は、片方の手の人差し指と中指で溝を軽く押し広げてから、もう片方の手の人差し指のサイドで押さえるように入れ込む。
（6）ゆるみを感じる頬やほうれい線は、口を内側からぷくっと膨らまして肌をピンと張らせると塗りやすい。
（7）目の下などのくぼんでいる部分は、下から指を押しあてるようにして肌を盛り上げると、漏れなく塗れる。

多くの方はすでに自分の手グセがついているために、もし抜けや漏れがあったとしてもなかなか変えられないかもしれません。まずは、右に挙げたことを念頭に、顔の凹凸を意識して、やさしくケアしてみてください。そのうち、正しい手の動きが身についていて、意識しなくてもきちんと保湿ケアができるようになるでしょう。

4　ステップ１／落とす①
「落とす」が上手になると、次のステップもうまくいく

「意識して呼吸してみてください」

そう言われると、まず息を吸うことから始めていませんか？　実は、呼吸って、吐くことが基本なのだそう。息を吐けば、その後、がんばって吸おうとしなくても、自然に入ってくるものなんですね。

保湿ケアも似ているところがあります。保湿ケアをしようとすると、化粧水などで肌にうるおいを「入れる」ことばかりに意識が向きがちですが、実は、そ

の前にメイクや汚れなどを「落とす」ことが、とても重要。不要物が落とされた肌には、その後の化粧水がスーッと入っていくからです。

この落とす行為がきちんとできているかどうかで、肌をしっかりうるおすことができるかどうかが決まるといってもいいくらい。つまり、保湿ケア成功のカギを握っているともいえるのです。

だから、私の美容法では、基本の保湿ケアに「落とす」というステップが入っていて、「うるおす」「フタをする」と同じくらい重要なケアだと考えています。

もし保湿ケアがうまくいかないと感じているとしたら、それは「落とす」が原因かもしれません。また、美容液やクリームは高額なものを使っていても、クレンジング剤や洗顔料にはたいして気を配っていないとしたら、それでは「落とす」が不十分な可能性があります。

「落とす」のステップを正しくするだけでも、保湿ケアの効果がグンと高まります。お手入れに不安がある方や肌悩みを抱えている方、また、うまくやっていると思っている方も、見直してみるといいと思います。

ステップ１「落とす」の具体的なケアは、夜ならクレンジングと洗顔、朝なら洗顔です。

ご存知の通り、クレンジングは、主にメイクを落とすためのもの。ファンデーションやリップなどのメイクアイテムには油性成分が多く含まれているので、油分になじみやすいクレンジング剤を使うと、スムーズに落とすことができるのです。もうひとつの洗顔では、皮脂や汗、ホコリ、肌に不要となった古い角質などを主に落とします。

クレンジングと洗顔のそれぞれのポイントはこのあとでご紹介しますが、両方に共通の注意すべきことがあります。

それは、どちらも肌から汚れなどを除去するためのものなので、クレンジング剤や洗顔料を肌にのせている時間が長ければ長いほど、うるおいも一緒に取り除かれてしまうということ。そのため、あまり時間をかけすぎるのは厳禁。手早くなじませて、適切な時間内にすべてを終わらせるように心がけましょう。目安としては、クレンジングと洗顔それぞれ1分くらいです。

5　ステップ1／落とす②
クレンジングは呼吸を整えながら、自分をいたわって

クレンジングは、一日が終わって帰宅したときや入浴前などにファンデーションなどのメイクを落とす行為。自分自身に対して「おつかれさま」といたわる気持ちをもって、長い時間ずっと肌をおおっていたメイクから自分を解放してあげましょう。

このとき、リラックスできるように呼吸を意識して、心地よいリズムで手を動かすようにすると、さらにいいと思います。そうすれば、必要以上にゴシゴシと力を入れることがなくなり、気持ちも落ち着きます。

◇クレンジングの手順

皮膚の下には筋肉があるので、その向きに沿って手を動かすようにします。リンパの流れも促せるので、クレンジングしながら老廃物を流すこともできます。

①クレンジング剤をたっぷりと手にとり、両手でこすりあわせて温める。

②各部位の筋肉の流れに沿って、指の腹でくるくるとらせんを描くようにして、メイクにクレンジング剤をなじませる。具体的には次の動きを目安に。

- アゴ先からエラまで、口角から耳の穴の手前まで、小鼻の横からこめかみまで。
- 額は中央からこめかみに向かって。
- 鼻筋は上から下へ、小鼻は小さく円を描くように。
- 口のまわりは筋肉がリング状になっているので（口輪筋）、左右の中指で口のまわりをそれぞれ半円を描くようになじませる。
- 目も筋肉がリング状になっているので（眼輪筋）、目を囲むように円を描きながらなじませる。

③ティッシュを三角に折って顔の右半分にのせ、浮き上がった油分と汚れを含ませる。ゴシゴシこすらず、ティッシュを押さえる程度に。顔の左半分も同じようにする。

④③の代わりに洗い流す場合は、顔にのせたクレンジング剤にぬるま湯をよくなじませて乳化させ、その後、洗い流す。

手を動かすときに特に注意したいのが、目と口のまわり。どちらも皮膚が薄いうえに、まばたきやおしゃべりなどで頻繁に動かすので、日常的に酷使されています。そのため、強い力でこすると、さらに負担がかかってダメージにつながり、老化を早めてしまう恐れがあるのです。他の部位よりも、意識してやさしくなでるようにしてみてください。

もし余裕があれば、ティッシュでクレンジング剤と汚れを軽くオフした後、ホットタオルを顔にのせて、残った油分や汚れを取るのもいいでしょう。無理なく落とせるだけでなく、血行も促されて肌のツヤがアップします。それに、とっても気持ちいいですよ。

ホットタオルは、タオルを熱めのお湯に浸して作る方法と、水で濡らしたタオルを電子レンジで温める方法があります。いずれも、熱くなりすぎることがあるので、ヤケドには十分に注意してください。

◇クレンジング剤の選び方

クレンジング剤は、クリーム、乳液（ミルク）、リキッド、オイルなどのタイプがありますが、私がおススメするのは乳液、またはクリームのタイプ。なぜなら、どちらも肌にあまり負担をかけずにやさしく落とせるから。メイクになじませながら、軽くマッサージするのにも向いています。ただし、マッサージ剤ではないので、長く肌の上にのせているのはNG。あくまでもメイク落としとしてなじませる際、マッサージするように手を動かす、というくらいにしましょう。

乳液やクリームタイプの場合、なじませた後にティッシュでふき取るか、ぬるま湯で洗い流すなどのプロセスが必要です。クタクタに疲れているときなどには、それが手間に感じるかもしれません。

もしクレンジングが面倒で省きたいと思ってしまうくらいなら、ささっと簡単にメイクを落とせるリキッドやオイルのタイプを使うという手もあります。濡れた手でも使えるものなら、バスルーム内でもメイクをオフできます。

ただ、スピーディに落とせるものは、それだけ洗浄力がパワフルということでもあります。うるおいを取り除きすぎないよう、肌にのせている時間はできるだけ短くし、その後の「うるおす」「フタをする」のステップをしっかり丁寧に行うことが大切です。

6　ステップ1／落とす③
誰もがやっているのに、意外に差がつくのが洗顔

「顔を洗う」という行為は、小さい頃から誰もが日常的にやっていることです。それだけに、スキンケアの一部とは捉えにくく、ただなんとなく手を動かしているという人もいるかもしれませんね。ふだん意識していない人も、ここで一度、いつもの「洗顔」を見直してみましょう。

◇洗顔の前に

手に汚れや油分がついていたりすると、洗顔料はうまく泡立てられません。特に、クレンジングしてから洗顔にうつるときには、手についたクレンジング剤をティッシュなどできれいにふき取るか、洗い流すようにします。

また、洗顔料は、まず、よく泡立てることが大切です。いきなり顔にのせてゴシゴシこする人もいますが、それをつづけていると刺激により頬にシミができる恐れもあります。理想は、泡をのせた手のひらをひっくり返しても落ちないくらい、しっかりとした密度の高い泡。泡立てるのが苦手な方は、泡立てネットを使ったり、容器から泡の状態で出てくる泡洗顔料を選ぶのもおススメです。

◇洗う順番

無意識に洗顔しようとすると、最初に頬から洗い始める人が多いように思います。でも、これでは、乾燥しやすい頬に一番長く泡をのせていることになります。洗顔料は汚れを取り除くと同時にうるおいも取り除くので、皮脂の分泌量が多い部位から洗い始めるのが正解。次の順番を参考にしてみてください。

①スタートは鼻。小鼻は指で小さな円を描きながら念入りに。
②アゴと口まわり。アゴがべたつきやすい人は、より丁寧に。
③額は中央から左右に向かってくるくると。眉毛まわりもこのときに。
④頬に泡をのせ、泡に汚れを吸着させるつもりで手のひらを揺らす。
⑤生え際、フェイスライン、アゴの裏などの細部も指でやさしくなでる。

他のスキンケアも同じことがいえるのですが、洗顔も、すべての人が同じやり方をする必要はありません。人によって肌の状態は大きく異なるので、柔軟に考えて、自分に合ったやり方をすればいいのです。

たとえば、小鼻はベタッとしていても、目の下や頬はカサついている人なら、洗顔は鼻まわりとTゾーンだけ、あるいは鼻とアゴだけでも構いません。

目じりやまぶた、口のまわり、眉間などが乾燥して突っ張りやすい場合は、洗顔前に、乾燥しやすい部位だけに乳液を軽くつけるワザもあります。その部分だけ、疑似的にオイリー肌にしてから洗顔するので、洗浄成分でうるおいを奪われすぎないで済みます。「油分を足してから、取る」ということですね。

◇すすぎ

すすぎで大切なのは、流すときの水の温度。私はよく「冷めたぬるま湯」と表現しているのですが、体温を超えるか超えないかという34〜38度くらいがベストです。

シャワーや湯船の湯温は40度を超えていることが多く、体では気持ちよく感じたとしても、顔の肌にとっては高温すぎ。肌のうるおいが奪われてしまうので注意が必要です。もし入浴時にシャワーのお湯を使うのであれば、直接、シャワーヘッドから顔に浴びせるのではなく、いったん手のひらに溜めてから顔をすすぐようにしましょう。そうすれば、温度が多少高かったとしても少しやわらげられます。私は、それだけでも化粧水を1回つけたくらいの差があると思っています。それくらい湯温にも気を使いたいところです。

すすいだ後にタオルで拭くときも、ゴシゴシこするのは禁物。タオルを顔にポンポンとあてて、水滴をタオルに吸い取らせるようにします。

さて、ここまでどれくらいの時間をかけるものでしょうか。すでにお話した通り、洗顔は手早くすることが大切です。時間にすると1分ほど。長くても1分半くらいで終わらせるように心がけましょう。

洗顔が正しくできているかどうか知りたい場合は、確認する方法もあります。それには、顔を洗ってから約90秒後の肌でチェックをします。このとき、もし肌が突っ張っているようであれば、洗顔でうるおいが奪われてしまっていると考えられます。洗顔時間を短くする、洗う順番を変える、乾燥する部分は洗顔料を長くのせない、すすぐ湯温を下げるなど、いろいろと試して調整してみてください。

洗顔を含めたスキンケアは、何を使うかも大事ですが、どうやって使うかも大事。いつもの洗顔料でも、使い方しだいでうるおった肌を育むことができるのです。

7　ステップ2／うるおす①
「うるおす」のは、洗顔後90秒以内に

みなさんは、シートマスクを使うことはありますか？

シートマスクは、シートパックやフェイスマスクなどと呼ばれることもありますが、一般に、保湿成分などをたっぷりしみ込ませたシートを、そのまま顔にのせることで、肌にうるおいを与えるというもの。よく使われる方はご存知

かと思うのですが、シートマスクをした後の肌って、手のひらをのせて離すと吸いついてくるほど、しっとりうるおっているという感触があるものなんですよね。

私の美容法のステップ2「うるおす」で目指しているのが、このシートマスクをした後のような肌。化粧水をしっかりと入れ込み、角層のすみずみまでうるおわせて、ぷるぷる、もちもちとした肌に導くのです。

ステップ2のケアは、お風呂上がりや洗顔後、90秒以内におこなうことが目標です。特にお風呂上がりの肌は、スチームをあてた直後のようにやわらかく、水分も含みやすい状態。このタイミングを逃さずにうるおいを与えると、効率よくスムーズに浸透させることができます。

もし、すぐ化粧水をつけずに時間が経ってしまったら、肌は乾いて硬くなってしまいます。そうすると、「ブライトニングもリフトアップも、うるおった肌があってこそ」（第2章・3）でご紹介した「乾燥してカチカチに硬くなった布には、液体洗剤をたらしてもなかなか染み込んでいかない」という話のように、肌にうるおいが入りにくくなってしまいます。

お子様と一緒にお風呂に入ったときなど、お風呂から出てすぐに化粧水をつけられない場合、まずはミスト状の化粧水などをシュッとひと吹きして、肌をうるおわせてあげるのもひとつの方法です。ただ、それでも、できるだけ早く「うるおす」ケアをおこなうようにしてくださいね。

次の項目で、肌をうるおす具体的な方法をご紹介しますが、その前に大切なことをお伝えしておきましょう。

それは「満タンチェック」。肌にうるおいが十分に入ったかどうか、つまり、うるおいが満タンになったかどうかをチェックすることです。

◇満タンチェックのやり方

うるおっているかどうかをチェックする部位は、頬骨のトップ。肌が薄くて乾きやすい場所なので、ここがしっかりうるおえば、他の部位にもうるおいが行きわたったとみることができます。

①片手を軽く握り、人差し指から薬指までの、第一関節と第二関節の間の面で、
頬骨のトップをそっと触る。

②このとき次の2つをチェック。

◆ひんやりしているかどうか。

◆しっとりしていて、ムッチリ吸い付いてくるかどうか。

③2つとも実現できていたら合格。うるおいが満タンだということ。

どちらか1つのみ実現している、あるいはどちらも実現できていなければ、まだうるおいが不足しているということ。

いくら丁寧に化粧水をつけたとしても、そのときのあなたの肌にとってうるおいがまだ足りなかったら、保湿は不十分です。そのため、化粧水をつけたら満タンチェックをして、もし足りなければ、さらに化粧水をつける、という確認・追加の作業が重要になります。

8　ステップ2／うるおす②
化粧水は「601円づけ」でたっぷりのうるおいを

私がおススメする化粧水のつけ方は「601円づけ」。化粧水の量を硬貨の大きさに見立てて名付けたもので、500円、100円、1円の3種類のつけ方があり、合計して601円。これを順番におこなっていきます。

◇化粧水のつけ方

①500円玉大の化粧水を手にとり、両手をこすりあわせるようにして温めながら指先にまで広げ、顔全体にさっとなじませる。このときの手の動かし方は、最初に手のひらを顔の内側（中心部）にあてて、そこから外側へ水平に軽くすべらせるように。

②100円玉大の化粧水を、親指を除く両手8本の指の先になじませ、熊手のような手をつくり、指先が肌に垂直にあたるように顔全体をパッティング。ワキを締めて腕を固定し、顔を上下にゆっくりと動かして、力を入れずにト

ントンと軽くたたくのがコツ。まぶたや目頭のキワなどにも指先をあてることで、細部まで漏れなく化粧水を届ける。

③1円玉大の化粧水を手のひらになじませて、顔の内側から外側へ向かって1、2、3、4と手の位置をゆっくりずらしながら4カ所をハンドプレス。その後、額とアゴ、鼻をそれぞれ両手で包み込むように押さえる。

④ここで満タンチェック（前の項目でご紹介しています）。もし、うるおいが満タンであれば、ステップ2は終了。もし、うるおいが足りなければ、②と③の101円分をもう1セットおこなう。これを満タンになるまでくり返す。

◇化粧水の選び方

「うるおす」ステップを担当するのは化粧水です。アイテムによっては、化粧液と呼ばれるもので同じような役割をするものもあります。

温泉水100％といった水のみのスプレーなどもあり、肌にやさしくて魅力的ですが、肌を「うるおす」ことを目的にするなら、保湿成分が混ざっているもののほうがベター。そのほうが肌なじみが良くなり、水分を入りやすくしてくれると思います。

化粧水のテクスチャーは、水のようにサラサラとしていてさっぱりしたものから、こっくりとしたとろみがあるものまで、いろいろあります。が、ここは、自分の好きな感触のものを選ぶのが一番。いくら有効成分がすぐれていても、いくら人気のコスメであっても、自分がイヤなものを使っていてはストレスになるし、美につながらないと思うのです。

ただ、大事なことがあります。

「肌に入りやすいものは出やすい」

「肌に入りにくいものは出にくい」

ということ。

サラサラのテクスチャーの場合、化粧水が肌にすーっと入っていくものの、出ていきやすいという面もあるため、ステップ３の「フタ」をよりしっかりする必要があります。逆に、とろっとしたテクスチャーの場合、入りにくく感じるかもしれませんが、そんなときは、お風呂上がりや洗顔後すぐの肌がやわらかいときに化粧水をつけたり、導入液やブースターといわれるアイテムを使ってから化粧水をつけると、スムーズに浸透させられます。とろみ系の化粧水につづくステップ3は、比較的、軽い乳液やジェルでもいいでしょう。

いずれの化粧水でも、ケアをしながら必ず満タンチェックをおこなうように。もし、なかなか満タンにならずに何度も101円分をくり返すようであれば、あなたにとってその化粧水は保湿力が足りないのかもしれません。

理想の化粧水は、601円分のみで満足できるくらいの保湿力。トライ&チェックをして、今の肌に合った化粧水を見つけてくださいね。

9　ステップ3／フタをする①
「フタをする」のカギは、朝の外内づけ、夜の内外づけ

「扉を開けっぱなしにしないで」

これがスキンケアの最後を締めくくるステップ3に込めた私の想い。

暑い夏の時期に扉を開けたままにしていると、エアコンで冷やした空気がどんどん外に逃げてしまいますよね。それと同じように、ステップ2でせっかく肌をうるおわせたのに、フタをしないままでいると、うるおいがどんどん逃げていってしまうからです。

そのフタというのは、油溶性の膜のこと。ステップ3で使うクリームや乳液などのコスメには油溶性の成分が配合されているので、お手入れの最後にその膜で肌をおおって、うるおいを閉じ込めるのです。

では、みなさんは、クリームや乳液などをどこからつけていきますか？

よく見かけるのが、最初に鼻、額、アゴ、右頬、左頬の5カ所にポンポンポンとのせていくやり方。これを「5点盛り」と呼んだりしますが、私自身は、ふだんはあまりやりません。

というのも、クレンジング剤や洗顔料なども同じですが、最初にのせた部位にもっとも効果が届きやすいから。この場合、鼻と額、アゴの3カ所はもとももと皮脂の分泌が多いところ。にもかかわらず、油溶性の膜がしっかり張られてしまうと、Tゾーンの油分が多すぎてしまう可能性があるのです。逆に、カサつきや小ジワが気になる目元は、指先に残った余りをつける程度になってしまいます。これでは、肌の油分バランスを整えるどころか、いっそう崩れかねません。

ただし、5点盛りがいけないというわけではないので、ご注意を。肌状態は人によって異なるので、この方法をやっていて肌が良好であれば、そのままつづけていただいて問題ありません。

私の場合、最初にクリームをのせるのは、皮膚が薄くてうるおいをキープしづらく、皮脂の分泌も少ない目元。ここはゴーグルで隠れるところなので「ゴーグルゾーン」と呼ぶこともありますが、顔の印象にも影響を与える大切な部位のため、丁寧に保湿したいと思うのです。その後、顔全体を塗れば、目元はダブルになるので、うるおいをより多く与えられます。

では、私が実践している方法をご紹介します。

◇つけ方

①クリームや乳液など（以下、クリームとします）を手にとり、両手をこすりあわせて温めながら指先まで広げる。
②最初、指先についたクリームを目尻につける。そのまま目の下から目頭、上まぶた、目尻まで、目のまわりを囲むように指先をやさしくすべらせる。
③手のひらで顔全体につける。
朝…【外内づけ】日中、皮脂が出やすい顔の内側（Tゾーン）は少量でいいので、まずは顔の外側に手のひらをあて、内側へ手をずらしながらつけていく。

夜…【内外づけ】リンパの流れを意識して、朝とは反対に、顔の内側から外側へ手をずらしながらつける。
④額とアゴに、それぞれ手のひらを押しあててつける。
⑤細部の塗り漏れがないか確認。シワの溝は広げて、ほうれい線は頬を膨らまして肌を張って、人差し指のサイドで押さえるようにして入れ込む。

もし目元以外で気になるところがあれば、②の段階でその部位につけてから顔全体につけるといいでしょう。

クリームを塗るときに留意していただきたいのが、朝の「外内づけ」と、夜の「内外づけ」。それぞれ理由があって手の動きを変えているのです。ちょっとしたことですが、こういう微細なことが美容ではとても大切。漫然とケアするよりも、ずっと効果があると思っています。

そして、翌朝には必ず肌状態のチェックをして、フタが十分かどうかを確認することも忘れずに。

10 ステップ3／フタをする②
コスメのバリエーションが豊富。好みのテクスチャーはどれ？

化粧水の選び方でも少し触れましたが、同じコスメアイテムであっても、テクスチャーはいろいろあり、乳液やクリームも本当に多彩。さっぱりとしたもの、しっとりするもの、こっくりとしたもの、等々あって、人によってテクスチャーの好みも異なります。

その好みというのは、これまでの肌タイプや、後肌（お手入れした後の肌）の感触の好みに影響されることが多いものなんですね。たとえば、過去にオイリー肌だった経験がある人は「ベタつくものは苦手、サラリと仕上がる感触が好き」とか、ずっと乾燥肌と付き合ってきた人は「ベタベタするくらい肌がしっとりしないと物足りない」といった具合。

だからこそ、コスメ選びでは、自分の感覚を大切にしてほしいと思います。配合されている成分も大事ですが、使っていて「これは好き」と思えるテクスチャーを優先させてほしい。そのほうが、お手入れ自体が楽しくなって、義務感ではなくつづけられるはず。そうすると、どんどん肌がきれいになって、人にもほめられて、もっとお手入れが楽しくなって……と好循環が生まれます。そういう意味でも、テクスチャーはコスメ選びの大きな要素だと思うのです。

◇コスメの選び方

ステップ3の「フタをする」を担うコスメは、アイテムのバリエーションが豊富にあります。コスメによって保湿力も異なるため、自分に合うものを見極めるのは簡単ではないかもしれません。そこで、参考までに、大まかに保湿力を比べると、次のようになります。

保湿力の高いものから順に、
バーム、クリーム、乳液、ジェル、オールインワンジェル。

これは、肌をガードする膜の違いで捉えるとわかりやすいかもしれません。
バームは水分をほとんど含まず、主に油分で構成された固形、または半固形のもの。クリームはバームほど硬い形状ではないものの、油分は多いアイテム。
そのクリームよりやわらかいのが乳液で、水分と油分がバランスよく入っているもの。ジェルはみずみずしいテクスチャーで、水分を多く含むのが特徴です。

コスメは好きなテクスチャーを選んでほしいのですが、私がおススメするとしたら、クリームまたは乳液です。

そう聞くと、オイリー肌の方や混合肌の方は、ベタつく感触やニキビができそうなイメージから、敬遠したいと思うかもしれません。そういうみなさんには、肌の内部にスーッと入り込んでしっかりうるおわせるけれども、肌表面はベタつかない「内弁慶」タイプがベターです。内側は弁慶のごとくうるおいをガッチリ守り、外側（肌表面）はサラリとしたものです。昨今のコスメの進化はすばらしく、クリームや乳液であってもベタつかず、それでいて、うるおいはきちんと保持してくれる優秀なものがたくさんあります。苦手意識をもたず、ぜひ試してみてほしいと思います。

それに対して、乾燥肌の方や、どちらかというと乾燥に傾きやすい方には、たっぷりのうるおいを与えながら、肌表面にクリーム・乳液がしっかりのっている感覚のあるような「外弁慶」タイプがおススメ。弁慶が外で見張ってくれているような安心感と、朝までしっとりしている実感が得られるものです。

さて、あなたはどのタイプが好みでしょうか。

どれを選べばいいか迷ってしまう人は、まずは、今もっているものを使って丁寧にケアしてみましょう。そして、必ず肌チェックをします。

もし目元のゴーグルゾーンがカサつくようであれば、目元は重ねづけをしたり、もっと保湿力の高いものに変えてみてください。逆に、小さなブツブツができてしまうようであれば、油分が多すぎる可能性があります。保湿力を引き算して考えるなどの調整を。

どのような場合であっても、コスメとスキンケアは「トライ&チェック」が大切です。やりっぱなしではなく、必ず振り返って、自分の状態を見極めるクセをつけましょう。自分にとっての効果を評価することで、そのときどきの自分に合ったコスメやケア方法を見つけられ、季節や年齢の変化に適応しながら、うるおった美肌を実現できるようになります。

第4章

がんばれないときに、できること

1　ツライと感じたら、手を止めていい

一日中、緊張が途切れなかったり、とにかく忙しかったりすると、その日の夜にはぐったり疲れ果ててしまうことがあります。もう肌のお手入れをする気力もなく、「今すぐに寝たい」と思うこともあるでしょう。

そんなときでも、もし3分だけ、時間と気力があれば、お手入れをぜひやっていただきたい。保湿ケアは毎日やりつづけることが大切で、それこそがうるおいのある美肌につながるからです。

ただ、本当に「がんばれないとき」は、無理をしないでほしいと思っています。「やらなければいけない」と自分自身にプレッシャーをかけながらケアしていても、よけいにストレスが溜まってしまいますし、何より体を休めることも、とっても大事なことなのです。

それに、美容は楽しく取り組むものだとも思います。

ときどき、電車の車内で、苦悩の表情を浮かべながら、ブツブツと呪文をと

なえるように英単語を暗記している人を見かけることがあります。外国語を学ぶのは簡単ではないですよね。とはいっても、英語はそもそもコミュニケーションツール。他の人とつながることができる、自分のためのもの。苦しみながら勉強するのではなく、楽しんでほしいなと思ったりするのですが、それは美容も同じこと。

なぜなら、スキンケアをはじめとする美容は、自分自身のためにやるもの。自分らしくいるために、自分をきれいにするためにやっていることなので、苦痛や不快とは無縁のもののはず。ツライ思いをしてまでお手入れする必要はないのです。

そこで、苦痛に思ったり、ツライと感じるときは、

「手を止めていい」

と私は思っています。あくまでも自分の気持ちや体調を大切に。

その分、次のタイミングで、いつもより丁寧にケアできるといいですね。

「落とす」で肌に残った汚れや老廃物をしっかり取り除き、「うるおす」で満タンチェックをしながらうるおいをたっぷり与えて、「フタをする」でうるおいを逃さずキープできるようにしましょう。

2　うるおいの担保があると、1日くらい徹夜してもOK

日頃から保湿ケアをしていると、肌にうるおいが十分に行きわたっていて、揺らぎにくい健やかな肌状態を維持できます。そうすると、「うるおいが担保される」ので、体調や生活のリズムが崩れて一時的に肌の調子が落ちたとしても、大きく落ち込むことはありません。そのままいつも通り、正しい保湿ケアをつづけていれば、すぐにリカバリーできます。

だから、やむをえず徹夜しても、一日くらいなら大丈夫。翌日、肌のお手入れをしっかりして、ぐっすり眠れば、それほど深刻な事態にはならないでしょう。もちろん、徹夜はできれば避けたほうがいいですが……。

一方、日頃の保湿ケアが万全ではなく、うるおいの担保がないと、寝不足やストレス、徹夜、風邪などで一気に肌状態がダウン。くすんだり、カサついたり、ブツブツができてしまったりと、さまざまなトラブルを招くことがあります。また、年齢を重ねると代謝が下がるので、肌トラブルはよりあらわれやすくなり、リカバリーにも時間がかかってしまいます。


前の項目で、「がんばれないときは無理をしないで」とお伝えしたのは、もちろん心身の健康を第一に考えてのこと。そのときどきの自分をいたわっていただきたいと思います。

と同時に、日頃から保湿ケアをしていれば、うるおいの担保があるので、1回くらいケアをしなかったとしても心配しないで大丈夫、ともいえます。

日々、保湿ケアをつづけることは、現在の肌をうるおわせるとともに、将来的にもうるおった美しい肌に導いて、ビューティフルエイジングを実現することにつながります。それだけでなく、さらに、うるおいの担保として、「がんばれないとき」などの緊急事態に備えることもできるものなのです。

3 脳と肌は直結しているから、心地のいいものを

「疲労やストレスが溜まると、スナック菓子やチョコレートが食べたくなる」

そんな経験はありませんか?

これは、どうも脳がほしがっているらしいんですね。ただ、そうやってジャンクフードやお菓子ばかり食べていると、腸内環境が悪くなる恐れがあります。

さらには、肌が荒れたり、吹き出物ができたり、くすんでしまったりと、肌にも影響が出てしまうことがあります。これも、経験している方がいらっしゃるかもしれませんね。

また、近年、肌の老化を促進する要因として注目されている「糖化」は、食

べ物などに含まれる糖分が原因。腸から血液中に入り込んだ糖が、体内のタンパク質と結びついて細胞にダメージを与えることで、肌にくすみやたるみ、シミ、シワなどがあらわれてしまうのです。

つまり、「脳」と「肌」と「腸」は深いつながりがあって、複雑に影響しあっているといえるでしょう。

そんなことから、私は以前より「脳と肌と腸は三つ子」という話をよくしています。この3つが良好な状態であれば、肌は美しく、脳や体は健やかで、毎日をハッピーに過ごせると思うのです。

たとえば、目標がある人や恋をしている人は、生き生きとしているように感じます。そういう姿を見ると、脳、肌、腸のどれもが調子よく、3つの歯車がカラカラと音を立てて軽やかに回っているんだろうな、なんて思ったりするわけです。

逆に、ネガティブな話ばかりする人や表情が暗い人など、気持ちや体のコンディションが下がっている場合は、肌のツヤがなくて落ちているのかな、と。

そこで、スキンケアにおいて重視したいのが、コスメのつけ心地です。たとえ肌に良いとされる美容成分が入っていたとしても、ベタベタすると感じたり、匂いがイヤだったりと、つけ心地が好みでないと、「脳」がそのネガティブな感覚をキャッチ。使うたびにストレスを増すばかりで肌にも良くないので、それは、あなたにとってのベストコスメとはいえません。

そんなときは、これまで各ステップのコスメ選びでもお伝えしてきた通り、自分の好きな感覚のものを選ぶことが、ひじょうに重要です。

どのステップのコスメも種類がたくさんあります。化粧水にしても、みずみずしくサラリとしたものから、こっくりトロトロとしたものまで、テクスチャーはさまざま。匂いも、甘いもの、ライトなもの、無香料のものなど、コスメによって違います。また、今はコスメも進化していて、ベタつかないのに保湿力があるものや、効果が高いのにマイルドなつけ心地のものなどもあります。

それらの中で、自分自身が

「あ〜心地いい〜」

と思えるものをぜひ！

心地いいものでやさしくケアしていれば、それが脳にも伝わって、ストレスが軽減されたり、気持ちが落ち着いたり、明るく前向きになれたりするでしょう。

そうすれば、がんばる気力がないほど疲れているときでも、「あの心地いいクリームでケアしたい」「大好きな香りに包まれたい」と思えて、お手入れが苦にならなくなるのではないでしょうか。


また、コスメは見た目も大事だと思います。

化粧水やクリームなどのパッケージは、かわいいもの、スタイリッシュなもの、シンプルなものなど、いろいろあります。見た目が好きなコスメだと、手に取りたいと思ったり、お手入れのテンションが高まったりするので、スキンケアが楽しくなるのではないかと思います。

もし、購入を考えている化粧水の候補が2つあって、どちらにしようか決めかねていたら、ボトルのデザインで選ぶのもひとつの方法です。ドレッサーや洗面台に気に入ったデザインのコスメが置いてあれば、毎日、手に取りたくなり、それがお手入れをつづけるきっかけになるかもしれません。

脳と肌はつながっているので、脳が喜ぶこと、つまり、自分が好きなものでケアすることが大切です。そうすれば、気分がアップして、肌にも良い影響を及ぼしてくれるに違いありません。

4　毎日100点でなくていい。帳尻合わせのいろいろ

冷たい飲み物は、内臓を冷やして血流を悪くするので、本来、体にはあまり良くありません。そのため、私は基本的に常温で飲むようにしています。

ところが、私は夏が大好き。実は、氷をなめるのも大好き。ときには、アイスティも飲みたくなります。

さて、そんなとき、どうすると思いますか？

こたえ。「腹巻をして、冷たいものをいただく」。

これが私流の「帳尻合わせ」です。

好きなことを諦めないために、他の部分で工夫できることをする。それで帳尻合わせをする、というわけですね。

この帳尻合わせの考え方は、スキンケアでも使えます。

がんばれないときや、何もしたくないときは、無理をするとストレスになってしまい、肌にやさしく触れられなくなります。そんなときは、手抜きをしてもＯＫ。自分自身でやれることを、やれる範囲内でやっていれば、毎日１００点でなくてもいいと思うのです。

その分、翌日、あるいは、できるときには、いつもより手をかけて帳尻合わせをしましょう。

では、帳尻合わせのテクニックをご紹介します。

◇オイルクレンジングで一気にオフ
→クリームにオイルをたらして帳尻合わせ

肌への負担を考えると、アイメイクなどのポイントメイクには専用のリムーバーを使い、ファンデーションは乳液タイプ、またはクリームタイプのクレンジング剤で落とすのが一番です。でも、その手間が面倒に感じるときは、オイルタイプのクレンジング剤を使うと、ポイントメイクもファンデーションも一気に落とせて、とってもラク。お風呂に入ったときにクレンジングすれば、さらに時短にもなるでしょう。

その分、保湿ケアを丁寧にして、帳尻を合わせます。たとえば、夜または翌朝、「フタをする」のクリームにオイルを一滴たらすのもおススメ。クリームに含まれる油溶性の成分とオイルが引きつけ合い、ベタつくことなく肌にピタッと一体化します。

◇多機能コスメで1ステップ省略
→翌日はマスクをプラスして帳尻合わせ

基本の保湿ケアは3ステップですが、がんばれないときには、「うるおす」と「フタをする」の2ステップを1度に実現できるオールインワンコスメを取り入れるのもアリ。そうすれば、1秒でも早く寝たい夜や、寝坊してしまった朝でも、水分と油分を一度に補給できます。

その分、次のケアではいつもより丁寧に保湿して、帳尻を合わせましょう。余裕があれば、シートマスクやクリームマスクをプラスしてみてください。肌にうるおいが行きわたって、肌がもちもち、ツヤツヤするはずです。

帳尻合わせの共通ポイントは、「手抜きをしてもOK、でも、その分、次のタイミングで保湿ケアをより念入りにやってくださいね」ということ。

お手入れの理想形はあったとしても、実際に100％優等生を貫くなんて難しい。がんばれない日もあれば、ダラダラしたい日もあるものです。

そんなときでも、帳尻合わせがあることを知っていれば、気楽に、楽しく美容に向き合えるのではないでしょうか。

それから、帳尻合わせとは少し違いますが、スキンケアが面倒に感じるときや、何もヤル気が起きないときに、モチベーションをアップさせるアイデアもこの機会にご紹介します。

◇一点豪華主義でヤル気をアップ

お手入れをがんばれないときのために、「貴族コスメ」をもっておくのもおススメです。貴族コスメというのは、自分にとって贅沢を味わえるようなコスメのこと。毎日使うにはちょっと高価であっても、ときどきは使いたい、と思えるようなアイテムです。実際、私もとっておきのクリームをもっています。高価なので毎日は使えないのですが、「もう今日はがんばれないけど、肌だけはどうにかしたい」というときに使ってモチベーションを高めたり、「大事な日の前に、気合を入れてお手入れをしたい」というときに頼ったりしています。

テクニック的な帳尻合わせではありませんが、気持ちに働きかけるという意味では、効果があるのではないかと思います。

5　家全体がドレッサー⁉　スキンケアを面倒にしない工夫

みなさんは、どこで肌のお手入れをしていますか？

おそらく、ドレッサーや洗面台など、決まった場所でおこなっている人が多いのではないかと思います。化粧水やクリームなどのコスメを置いている定位置ということですよね。

一方、スキンケアは日々の積み重ねが大切なので、いかに自分の生活の中に自然な形で組み込めるかが重要です。

そういう意味でいうと、「お手入れは決まった場所でするもの」という先入観をなくして、「どこでお手入れをしてもいい」と考えてもいいように思うのです。

そのほうが、人によっては、スキンケアが面倒にならず、自分らしく、楽しく、長つづきするものになるかもしれません。

たとえば、朝、お湯を沸かしている間にキッチンでやってもいいし、窓辺に座って、その日の空模様を眺めながらやってもOK。夜、お風呂上がりにリビングでテレビを見ながらやってもいいのです。

そこで、おススメしたいのが、取っ手の付いた入れ物にコスメを入れておく方法。簡単に持ち運べるので、おうちのどこもが即席のドレッサーになって、気軽にスキンケアができるようになります。そうすれば、負担やストレスを感じることなく、日常の中でスムーズにケアできることでしょう。

場所だけでなく、ケアする時間も「朝と夜の2回」と決め込む必要はありません。もちろん、朝と夜は必ずやってほしいのですが、それ以外にも、肌がカサついたとき、ふいに手が空いたとき、そのほか、いつでも気になったときにプラスのケアをしたらいいのです。

実際に私がおこなっているのが、乳液を小分けにして、家のあちこちに置いておく方法。自分の生活動線を考えて配置すれば、わざわざドレッサーに取りに行かなくても保湿ケアができます。

たとえば、いつも座るソファのサイドに置いておくと、テレビを見たり本を読んだりしながら、意外とじっくりケアできるもの。キッチンに置いておけば、火にかけたお鍋から目が離せないものの、やることがない、というときに、保湿をプラスできます。パソコンでネットを見ている間もケアできるように、パソコン横にもひとつ。また、外から帰ってきたときに使えるよう、コットンとともに玄関に置いておくと、軽くメイク落としをしながら部屋に入ることもできます。

置いておく乳液は、フタを開ける手間のいらないディスペンサー式にすれば、より手軽に使えて便利です。

もうひとつ、ボディケアですが、私の工夫をお伝えしましょう。

ボディを引き締めるためのスリミングコスメは、使うタイミングを逃しやすく、習慣になりにくいという声をよく聞きます。それを解決するために私が考えたのは、スリミングコスメをトイレに置くこと。トイレに行ったついでなら、お腹やお尻、太ももなどもケアしやすく、忘れることも少ないでしょう。そうしたら、短期間でコスメ1本を使いきれてしまう。ということは、結果にも結びつきやすい。

ね、良いアイデアだと思いませんか？

みなさんも、「こうあるべき」という先入観を捨てて、日常生活の中にスキンケアをうまく組み入れる工夫をしてみてください。そうすれば、肌のうるおいが足りなくなったり、お手入れが面倒に感じることはなくなるのではないかと思います。

6 メイクをしていてもＯＫ。「巡り」を促して肌ツヤをアップ

以前、写真を撮ってもらったときに、私の顔色がくすんでいてツヤがないな、と感じたことがありました。でも、そのときはメイクをしていて顔をこすりたくなかったんですよね。さて、どうしようかな。

そう思って私がやったのが、「顔の百叩き」です。

◇顔の百叩き

顔を少し上に向けて、両手の指を熊手のように曲げ、指先で顔を軽くポンポンとパッティングします。左記の通りに1ヵ所につき10回ずつで、場所をずらしながら、顔全体を合計100回叩きます。ちょうど、基本ケアのステップ2で、100円玉大の化粧水をつけるときと同じような要領ですね。

①額の中央からこめかみを通って目の下まで10回。
②目の下から半円を描くようにして、鼻の下まで10回。
③鼻の下から半円を描くようにして、アゴ先まで10回。
④これまでと同様の場所を③→②→①の順に10回ずつ叩きながら戻る。

⑤再度①→②→③の順に10回ずつ。
⑥最後に、額からアゴ先まで、フェイスラインに沿って10回。
これで合計１００回。

時間にして30秒ほど。たったそれだけで、血行が良くなって顔がポカポカし、くすんでいた肌に血色がよみがえります。
これはいつでも簡単にできるので、肌がくすんでいるとき以外にも、顔がむくんでいると感じたとき、眠気を飛ばしたいとき、疲れているとき、気合を入れ直したいときなどにも効果バツグン。肌ツヤがアップし、顔のむくみが軽減されて、顔も気持ちもすっきり。スキンケアのときであれば、化粧水や美容液などがしっかり浸透していきます。

実は、うるおった美肌を目指すには、保湿ケアと同じくらい「巡り」も大切だと思っています。
私が考える巡りは、「血の巡り」「水の巡り」「気の巡り」。いずれも、巡りが滞っている状態は、余分なものが老廃物として排出されず、ドロドロと淀んでいるというイメージです。

「血の巡り」が滞ると、酸素や栄養が十分に届けられないために、顔色がにごり、ツヤも失われてしまいます。血管年齢も上がり、健康にも影響を及ぼしかねません。

「水の巡り」の場合、余分な水分が溜まってしまうと、顔や足などが腫れぼったくなる「むくみ」となってあらわれます。これも血流と関わりがあり、また、リンパの流れも関係しています。

血や水の巡りが悪くなると、「気の巡り」も詰まってしまうように思います。何かひとつのことに固執して頑固になったり、他の新しいことを受け入れられなかったりして、思考や行動が止まってしまう。ときには、周囲の人にまで良くない印象を与えることも。

このような「巡り」を促して滞りを解消できれば、がんばれないときでも肌のツヤや気分をアップさせられるのではないかと思います。

ここでは、冒頭でお話した「顔の百叩き」のほかに、やはり簡単にできるテクニックをいくつかご紹介します。

◇耳ワンタン

耳やその周辺にはツボが集中していて、リンパが集まるリンパ節もあるので、マッサージをすると血液やリンパ液の巡りを促すことができます。

やり方は簡単。耳を手でつかんで、ワンタンのように折りたたんだり、耳全体をギュッギュッともんだり、引っぱったりするだけ。すぐに耳がポカポカと温かくなり、顔まわりの巡りも促されます。

◇手のひらのツボ押し

夕方、肌がくすんできたなと思ったときに、私がよくやっているのがコレ。手のひらの真ん中を反対の手の親指の関節でグリグリ押すのです。そうすると、血行が良くなって、顔色も明るくなり、気分までスッキリ！

◇ペンでツボ押し

仕事中、手にしているボールペンなどを使って、顔まわりのツボを押すのも効果的。ペンの尖っていないほうで、アゴ先から耳の下に向かって滑らせたら、耳下をグーっとプッシュします。そのまま鎖骨までおろしたら、くぼみに沿って左右にスライドさせましょう。ペンではなく指先でもできるので、移動中の車内や休憩時間にも。

◇ホットマグでスチーム

温かい飲み物さえあればできる、スチームを利用した巡りアップ法。マグカップに注いだホットドリンクを口に含み、片方の頬に寄せたら、そこにマグの湯気をあててください。体の内側は飲み物で温め、外側はスチームで温めるというダブルの効果が期待できます。これでホッと一息つけば、リラックス効果もありますよ。

◇頭皮絞り＆頭皮マッサージ

頭皮と顔の皮膚はつながっているので、頭皮の血流を促すと、顔の血色やツヤを高められて、表情も気分もシャキッとします。

頭皮絞りは、両手の親指を耳上にあて、残りの指を熊手のようにして頭をつかみ、指先に力を入れながら、親指のほうにグーッと絞るように引き寄せる、という方法。

また、そのままつづけてできる頭皮マッサージもおススメ。両手の指を熊手のようにして、耳の上から額にかけた生え際に置きます。そこから頭皮を持ち上げるようにして髪をかき上げていき、頭の上部まで行ったら襟足まで下ろします。頭を少し上に向けて、オールバックをするように指を動かすのがコツです。

◇頭頂部を指圧

ヘアスタイルを崩したくないときは、頭皮マッサージよりも簡単な頭頂部の指圧をやってみましょう。頭のてっぺんには「百会」というツボがあり、さまざまな不調に効果があるといわれています。ここを親指の第一関節でグッと押すだけ。全身の巡りが良くなって、自律神経の働きも整えてくれます。

私の美容法では、肌の汚れなどを取り除く「落とす」を大切にしていますが、それは肌表面だけでなく、体の内側においても同様で、不要な老廃物などを流して取り除く「巡り」が重要だと考えています。

ここでご紹介した「巡りを促すテクニック」は、自分で気軽にできるものばかりです。疲れたときやリフレッシュしたいとき、ちょっと時間が空いたときなど、いつもの生活の中に取り入れて、生き生きとした肌と健やかな毎日をぜひ手に入れてください。

第5章

余裕があるときに、やりたいこと

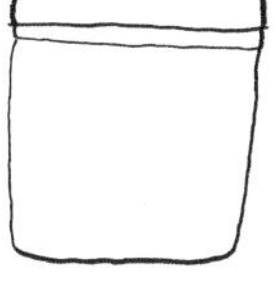

1　心地よくて手軽な「乳液美容」でプラスアルファのケアを

忙しい日々を送っていると、朝と夜のスキンケアをするだけで、それ以上、お手入れをする余裕はあまりないかもしれません。でも、これまでご紹介してきた3ステップのケアを毎日つづけていれば大丈夫。それ以上、特別に何かのお手入れをしなくても、うるおった肌を保てていると思います。

ただ、時間に余裕があるときは、いつものケアのほかに、肌のうるおいをより高めるプラスアルファのお手入れをするといいでしょう。お疲れぎみだった肌の立ち直りを早められたり、「うるおいの担保」としてトラブルを寄せつけない肌に導けたりと、健やかでうるおった肌のキープに役立ちます。

それに、ゆっくりと肌に向き合って肌をいたわっていると、肌だけでなく、自分の気持ちもいたわることができて、満ち足りたひとときを過ごせるという贅沢も得られると思います。

そんなときに重宝するのが、乳液です。

乳液は、水分と油分がバランスよく配合されているのが特徴。伸びが良いのでつけ心地が軽やかでありながら、水分と油分を同時に与えることができる優秀なアイテムなのです。だから、毎日のお手入れだけでなく、肌をじっくりお手入れしたいときにもぴったり。乳液さえあれば、新たに特別なコスメを用意することなく集中ケアができてしまいます。

では、じっくりお手入れしたいときの「乳液美容」をご紹介しましょう。

◇乳液仮面返し

シートマスクと乳液をコラボさせてしまう集中ケア。通常のシートマスクだけでも肌にうるおいを与えられますが、乳液をプラスすることで、よりいっそう肌をしっとりさせられて、乾きにくい肌に導くことができます。

①まずは、規定の時間、シートマスクを顔にのせる。
②マスクを顔にのせたまま、マスクの上から乳液を塗る。特に、乾燥やシワの気になる部分は指でくるくるとなじませて。
③マスクを外してクルッと裏返しにして、今度は乳液を塗った面を顔にのせる。

④10分ほどのせたらマスクを外し、肌の上に残った乳液を手でなじませる。

◇乳液＋塩スクラブ

アゴや小鼻のまわり、眉間などを触ったときにザラッとしていたら、古い角質が溜まっている可能性大。塩を使ったスクラブケアを。ヒジやヒザなどのボディケアにも有効です。

①料理で使う粒子が大きめの粗塩をひとつまみ乳液に混ぜる。

②アゴや小鼻のまわりなど、ザラザラが気になる部分に、指の腹でくるくると円を描くように動かしながらなじませる。

③洗い流す。

塩スクラブを肌になじませるときや洗い流すときは、肌を傷つけないよう、指に力を入れず、肌の上をやさしくすべらせるようにしましょう。

◇乳液ピーリング

肌がくすんできたと感じたら、スチームを肌にあてて うるおいを与えながら、乳液で肌をやわらかくほぐし、古い角質や毛穴の汚れを取り除きます。これをするだけで、肌の透明感がグンとアップします。塩スクラブのような刺激がないので、肌が弱い人にもおススメです。

①お湯を溜めた洗面器から上がってくる蒸気を、顔にあてる。お風呂でもＯＫ。

②乳液をたっぷり手にとり、顔の内から外に向かってくるくると円を描きながらマッサージをする。

③ホットタオルを顔に約30秒のせて、角質をふやかす。

④そのタオルで顔の内から外に向かって乳液をやさしくふき取る。

ホットタオルを顔にのせるときは、顔に押しつけず、顔を上に向けた状態でふわっとのせるのがコツ。背筋が伸びて、気持ちも良く、心身両面を整えられます。

気持ちにゆとりができた日の夜や、ゆっくり過ごせる週末、大切な予定が入っている日の前日などに、乳液を使ったスペシャルケアをぜひ試してみてください。きっと、なめらかで透明感のある肌を手に入れられますよ。

2　いつでも強い味方の乳液こそ、上質な肌への道を開く

私が美容に目覚めたきっかけは、3歳のときに乳液に触れたことだったというお話をしましたが、よく考えてみると、それ以来、乳液はずっと大切な存在。ずいぶん長いお付き合いをしているなと感じます。常に暮らしの中にあって私の味方になってくれているからこそ、前の項目でご紹介したような、じっくりお手入れをしたいときのスペシャルケアとしても乳液を使うアイデアが浮かんだのではないかと思います。

すでにお伝えしたように、乳液は水分と油分のバランスがよく配合されていて、どちらも与えることができる、という良さがあります。それに、化粧水のような液体ではないのでポタポタとたれることがなく、クリームよりもなめらかに伸びるので、使い勝手もバツグンです。

実は、これまでにご紹介してきたような基本のスキンケアやスペシャルケアのほかにも、乳液ならではの特徴を活かしてさまざまな使い方ができます。

私がふだんから気に入っているテクニックを含めて、乳液の活用例を挙げて

みましょう。

〈スキンケアのアイテム・サポートアイテムとして〉

◇メイクオフ

油性のメイクにも水性の汚れにもなじみやすいので、肌のうるおいを奪いすぎずにやさしくメイクを落とせます。クレンジング剤を使うのが苦手な人にもおススメです。

◇マッサージ

なめらかなテクスチャーで、すべりが良いので、マッサージクリームの代わりに使うこともできます。マッサージ後に洗い流さなくていいのも手軽なポイント。指で直接肌をこすらないように、乳液をたっぷり使って肌へのストレスをできるだけ少なくしましょう。

◇洗顔前に油分を与える

「誰もがやっているのに、意外に差がつくのが洗顔」（第3章・6）でご紹介したように、乾燥しやすい目尻やまぶたには、洗顔前に乳液を軽くつけて部分的に疑似オイリー肌にすることもできます。その後に洗顔をすると、洗浄成分でうるおいや皮脂を取りすぎるのを防げるのです。

◇他のアイテムに混ぜて使う

肌荒れや乾燥が気になるときは、化粧水や日焼け止め、リキッドファンデーションなど、他のコスメに混ぜて使うのも◎。使い心地がなめらかになって、保湿力もアップさせられます。敏感肌で肌に触れる回数を減らしたい場合も、化粧水と乳液を混ぜて使えば、「うるおす」と「フタをする」の2つのステップを1回のステップで済ませられます。

〈ボディやヘアをケアするアイテムとして〉

◇ボディケア

ボディクリームやハンドクリームの代わりとして、体や手のケアにも使えます。伸びがいいので、広い面積にも使いやすいはずです。

◇頭皮ケア・ヘアケア

頭皮はシャンプーで洗うことはあっても、保湿ケアをする機会は少ないかもしれません。乳液なら、顔だけでなく頭皮の保湿ケアにもぴったり。頭皮の毛穴汚れのクレンジングに、マッサージしながら使うこともできます。また、ヘアトリートメント剤の代わりに髪になじませれば、髪の乾燥やダメージもケアできます。

〈外出時に活用できるアイテムとして〉

◇乳液コットン

日中、メイクの崩れが気になったら、乳液を使ってきれいにお直しができます。やり方は簡単。化粧水に浸したコットンに乳液を含ませて、気になる部分のメイクだけを軽くふき取った後、その部分と周辺をなじませるようにファンデーションをのせればOK。部分的なリセットと保湿ができるので、カサつきなどもささっとケアできて、きれいに仕上げられます。

◇コンタクトレンズのケースに入れて携帯

肌がカサついてきたときをはじめ、ハンドケア、ボディケア、ヘアケアにも使える乳液は、外出先でも重宝するアイテム。そうはいってもボトルを持ち歩くのは大変なので、私はコンタクトレンズのケースに入れて携帯しています。密閉性が高いので液漏れすることがなく、コンパクトなサイズなので化粧ポーチに入れてもかさばりません。前述した「乳液コットン」で使う化粧水と乳液もコンタクトレンズケースに入れておけば、気軽に持ち歩けます。

〈こんな使い方も〉

◇メガネあとを防ぐ乳液コットン

長時間メガネをかけていると、メガネの鼻あてが当たる部分に「あと」が残ることはありませんか？　基本的に時間が経つと消えるものですが、長年メガネをかけていると、色素沈着して消えなくなることもあります。それを防ぐために、おうちでメガネをかけるときに試してほしいのが、このテクニック。小さくカットしたコットンに乳液を含ませて、それをメガネのあとがつきやすい部分にのせ、その上からメガネをかけます。コットンをメガネで押さえることでピタッとフィット。色素が沈着するのを防げて、うるおいも与えられます。

いかがでしょうか。乳液って、思っている以上に多くの場面で活用できると思いませんか？

みなさんも、余裕があるときに、乳液の可能性をぜひ試してみてください。そして、自分に合うテクニックがあれば、日常的なケアのひとつとして取り入れて、うるおいに導く美容を楽しんでいただければと思います。

3　肌の不調を解消！　しっかり向き合って丁寧にお手入れを

肌がカサカサする、つっぱる、ゴワつく、といった変化が見られたら、それはうるおい不足の可能性大。このような小さな不調のサインを見逃していると、肌のうるおいが足りない状態がつづき、やがて肌がくすんで顔色が悪く見えたり、肌が荒れてきたり、シミやたるみなどの老化現象を招くことにもなります。

肌が好調でも不調でも、日頃から3ステップの保湿ケアをつづけることが大事ですが、気持ちに余裕があるときこそ、自分の肌としっかり向き合って、今の肌状態をよく観察する絶好の機会です。それまで気づかなかった不調のサインを見つけたら、自分に合ったお手入れをおこなって、元気な肌を取り戻しましょう。

ただ、一言で「肌の調子が良くない」といっても、どれくらい深刻なのか、というレベルはいろいろ。肌状態をきちんと見極めて、必要な対策を立てることが重要です。肌の不調は、感覚的にわかることと、見た目にあらわれること、の両方があるので、そこに着目すると判断しやすいと思います。

〈肌不調レベル１〉

肌が乾燥して、お手入れのときなどに指先で触れるとカサカサしていることに気づくのが、最初の不調レベル。そのまま放っておくと、メイクをするときにファンデーションが肌になじみにくくなり、日中にファンデーションがヨレるなどの見た目にもあらわれてきます。

↓対策

このレベルでは、保湿ケアを入念におこなうと、比較的すぐに肌のカサつきがおさまります。

まずは、基本ステップの「うるおす」の化粧水でたっぷりうるおいを与えるようにしましょう。もちろん満タンチェックも忘れずに。そして、乳液（あるいはクリーム）で「フタをする」のも丁寧に。保湿ケアをいつも以上にしっかりおこなっていれば、肌にうるおいが行きわたるようになり、ファンデーションもヨレることなく肌にピタッとなじんでくるはずです。

〈肌不調レベル2〉

レベル1からさらに肌の乾燥が進むと、カサカサしていた肌がこわばってゴワゴワしてきます。古い角質がはがれ落ちずに残って積み重なり、だんだん角質が肥厚する（厚みを増す）のです。そのままケアしないでいると、メイクのノリがますます悪くなり、顔全体がゴワついてきて、肌の透明感やツヤも失われて、くすんで見えるようになります。

↓対策

角質が肥厚した肌には化粧水がなじみにくく、特にとろみのある化粧水は浸透しにくいでしょう。このような場合は、皮脂膜との親和性が高い乳液を使って、うるおいを与えながら不要な角質をやさしく取り除く「乳液ピーリング」がおススメです。

やり方は「心地よくて手軽な『乳液美容』でプラスアルファのケアを」（第5章・1）でご紹介していますが、特に、肌状態が不安定なときは、できるだけ肌への刺激を少なくすることが重要なので、乳液をたっぷり使うことがポイントです。また、顔にのせるホットタオルは、熱くしすぎると危険なので、冷めたぬるま湯でゆるく絞る程度で構いません。乳液をふき取るときも、決して肌をこすらないようにしましょう。

〈肌不調レベル3〉

レベル2を放っておくと、肌のなめらかさがなくなって粉をふいたような状態になったり、角質の肥厚が進んで肌が黒ずんで見えたりすることも。赤みやかゆみが生じてくるほどになると、いつも使っているコスメが刺激と感じてしまうこともあります。

↓対策

少しの寒暖差でも刺激となって痛みを感じたり、肌自身が危機感をもってメラニンをたくさんつくり出そうとしている可能性があったりするなど、相当なダメージ状態といえます。このような場合は、肌に触れる回数をできるだけ減らすためにも、お手入れのステップを少なくするほうがいいでしょう。

「うるおす」の化粧水と「フタをする」の乳液（またはクリーム）を手のひらで混ぜて、一回で肌にのせるようにします。もちろん、肌をこすらないように気をつけて。もしワセリンをもっていれば、「フタをする」のステップはワセリンを使うのもおススメです。いずれにしても、肌にしみるようであれば、コスメ等の使用は控えるようにしましょう。肌トラブルが深刻であれば、医師に相談するようにしてください。

肌のうるおいが足りずに不調に陥っても、ほとんどの場合はきちんとケアすれば立ち直るので、必要以上に心配することはありません。とはいえ、早めに気づくほど早くケアできて、スムーズに健やかな肌に戻れます。毎日のお手入れで満タンチェックや肌状態の確認をして、余裕があるときには肌に向き合う習慣を身につけて、いつでも肌がうるおいで満たされている良好な状態を目指しましょう。

4　美容オイルで巡りを促して、保湿力をさらにアップ

みなさんは、美容オイルを使ったことがあるでしょうか。

私の美容法では、毎日おこなう3ステップのお手入れで、主にクレンジング剤、洗顔料、化粧水、乳液またはクリームを使うことをおススメしています。そのため、美容オイルの出番はないかもしれません。

でも、実は、とても万能なアイテム。その良さを知って賢く使えば、いつもの保湿ケアをより高められたり、気軽にプラスのケアができたりします。

すでにこの本でも、「トライ&エラーをくり返して気づいた、保湿の大切さ」（第1章・3）の「オイルを使って全身を巡らせる」や、「毎日100点でなくていい。帳尻合わせのいろいろ」（第4章・4）の「オイルクレンジングの場合、フタをするクリームに美容オイルをたらして帳尻合わせをする」で美容オイルの活用に触れましたが、ここであらためて、美容オイルの特徴や使い方などをご紹介しましょう。

スキンケアで使う「オイル」と聞くと、中にはあまりいいイメージをもっていない方もいるかもしれません。「ヌルヌルする感触が苦手」「仕上がりがギトギトする」「日焼けしちゃいそう」など。特に、ニキビに悩む人やオイリー肌の人は、抵抗感が強いのではないでしょうか。確かに、昔はそういうイメージのものが多かったように思います。私も、本当のところ、オイルというと「サンタンオイル（日焼けオイル）」のイメージが強く、また、若い頃はニキビに悩まされていた時期もあったので、スキンケアにオイルを取り入れる発想はありませんでした。

そんな私が美容オイルに目覚めたのは32歳のとき。仕事を通して、ミス・ユニバースに輝いたスウェーデンの方に出会ったことがきっかけでした。さすが、彼女はミス・ユニバースに選ばれたというだけあって、ポジティブで魅力にあふれた方だったのですが、私が特に惹かれたのは、輝くような美しい「肌」。

ちょうどその頃、私の肌状態がひどく落ち込んでいたこともあって、彼女に尋ねてみたのです。

「どんなお手入れをしたら、そんなにきれいになれるの？」

すると、「オイル美容をしている」というこたえが返ってきました。

くわしく聞くと、「たとえば、顔にシミがある場合、そこにばかり気を向ける人がいるけれど、パッと見たらそれほど大したことではないと思うの。それよりも、溜まった老廃物を流すために、全身の巡りを良くすることのほうが大事」というのです。

体には老廃物が溜まるゴミ箱があって、そこを空にすると、滞っていた流れがスムーズになり、全身の巡りが良くなる。顔は体の一部なのだから、顔の表面の肌だけをきれいにしようとするのではなく、全体を見る必要がある、というわけです。

その際に活躍するのが、美容オイル。老廃物のゴミ箱を空にするために、リンパが集中している足首やひざ裏、そけい部（脚の付け根）にオイルをつけると流れが良くなり、全身の巡りを促せる、といわれました。

それを聞いたときには、「顔の肌悩みなのに、足首にオイルを塗るの？」と驚きました。ところが、実際に試してみて、体の巡りが良くなったことを実感したのです。というのも、私は小さい頃からむくみやすい体質で、脚もよくパンパンにむくむのですが、彼女に聞いてから美容オイルをつけて軽くもむようにしていたら、脚がむくまなくなったのです。

巡りがスムーズになれば、顔や手足がむくみにくくなるのはもちろん、肩などのコリもほぐれ、よく眠れるようになり、肌の調子も良くなる。

つまり、顔にできた小さなシミも気にはなるけれど、全身を巡らせて新陳代謝を促すことが、滞りのない流れをキープでき、結果的に、内側から輝く健康的な美肌につながる、ということがわかったのです。

この実体験から、私自身、美容オイルを取り入れるようになりました。

今も、リンパの流れが集中している足首、ひざ裏、そけい部、腹部、ワキ、鎖骨、耳の下を中心につけて、体の巡りを促すようにしています。

私が日常的にお手入れしているのは、お風呂から上がってすぐ。体にまだ水滴がついているとオイルがよく伸びるので、ちょうどいいタイミングなのです。

オイルを手にとり、足首からスタートして、ポイントをおさえながら上に向かって伸ばしていき、耳の下まで塗ります。

これをつづけているので、以前よりもむくみやコリが減り、体の不調が軽減されたと感じます。日々、基本の保湿ケアとともにこの巡りケアもおこなっているので、肌の調子も落ちなくなりました。それどころか、ひどい肌落ちを経験した20代の頃よりも、今は好調な肌状態を維持できていると思います。

近年、美容オイルの良さが広く知られるようになり、人気が高まってきました。その背景には、技術の進歩があります。かつての美容オイルは、分子が大きいために重くてドロリとしていて、肌にのせるとヌルヌル、ギトギトしたテクスチャーのものがほとんどでした。それが、分子を小さくするなどの処方が可能になり、最近では「これがオイルなの？」と思うほどサラサラしていたり、肌にすーっとなじんだりするものが増えているのです。私の感覚では、これまでオイルが苦手で避けていた人も、心地よく使えるものが見つかるのではないかと思います。

テクスチャーが良くなって利用範囲が広がった美容オイルですが、人気上昇の理由には、オイルならではの特徴もあります。

そのひとつが、乾燥してゴワついた肌をやわらかくしてくれることです。革靴をたとえにして説明すると……。革靴は、風雨にさらされるなどのダメージを受けたのちに乾くと、硬くてゴワゴワになったり、表面が毛羽立ったりしてしまいます。でも、そこにオイルを塗ってあげると、なめらかに整えることができて、ツヤのある質の良い状態にすることができます。革靴の革はタンパク質で、私たちの肌もケラチンというタンパク質が大切な構成要素。革靴と同じように、美容オイルは肌をしなやかにするために役立つのです。

また、美容成分の中には、ビタミンAやビタミンEなど、オイルに溶けるタイプのものがたくさんあります。美容オイルならそのような成分をより配合しやすいため、美容効果のバリエーションも豊富になってきています。

美容オイルを使用できるシーンや役割も広がってきています。これまでご紹介したことも含めて、どのように使えるのかを整理してみましょう。

◇ステップ３「フタをする」の役割として

乳液やクリームの代わりに、スキンケアの最後に使えます。

◇化粧水の前に使う「ブースター」として

ゴワついた肌をやわらかくして化粧水を入りやすくする「ブースター（導入美容液・オイル）」として、化粧水の前に使うのもおススメです。

◇ファンデーションなどの保湿力をアップ

「フタをする」ためのクリームやリキッドファンデーションなどに美容オイルを少しだけ混ぜれば、保湿力を高められます。

◇マッサージをするときに

とろみのあるタイプの美容オイルなら、オイルマッサージにもぴったり。オイルに厚みがあるので、肌に刺激を与える心配がありません。また、オイルは感触が冷たくないので、冬でも気持ちよく使えます。

◇ボディのお手入れに

伸びが良くて冷たい感触がないので、ボディ全体の保湿ケアにもぴったり。肌をやわらかくしてくれるので、ゴワつきがちなひじやかかともケアできます。空気が乾燥して肌がカサつきやすい冬も、日頃から美容オイルでケアしていると、ソフトでなめらかな肌を保てます。

◇全身の巡りを良くする

先ほどお話ししたように、美容オイルを適切なポイントに塗って全身の巡りを促すことができます。適切なポイントとは、主に足首、ひざ裏、そけい部、腹部、ワキ、鎖骨、耳の下の7点。ここをおさえながら、体の下から上に向かってオイルを伸ばしていきます。

このように、美容オイルはさまざまな用途に使えるマルチプレイヤー。毎日の保湿ケアに加えることで、スキンケアの幅が広がります。美容オイルに慣れていない人は、ボディケアやマッサージなどで試してみるのもいいでしょう。

きっとお手入れの強い味方になってくれることと思います。

5　バスタイムを活用！　ボディにもたっぷりのうるおいを

「日々のお手入れで、ボディにはどんなことをすればいいですか？」

というご質問を受けることがあります。じっくりとボディケアする時間はない人もいるかもしれませんが、可能であれば、「美容オイルで巡りを促して、保湿力をさらにアップ」（第5章・4）でお伝えした「巡り」を促す美容オイルケアを取り入れるといいと思っています。そうすれば、顔も含めた体全体を内側からケアできて、ボディの保湿ケアもできるからです。

そのほかに、バスタイムを利用したボディケアもおススメです。といっても、難しいテクニックは必要ありません。お風呂に入るとき、その入り方などに少し気を配るだけでも、心身をより健やかに保つことができると思います。そして、お風呂から出た直後にケアができれば、全身をうるおわせることができるでしょう。

また、余裕のあるときや肌のカサつきが気になったときなどは、スペシャルケアをプラスすると、気になるところも含めて、ボディのすみずみまでうるおいを届けることができます。

基本の入浴方法

まずは、私が日々おこなっている基本の入浴方法からお話ししましょう。

季節や体調などにもよりますが、だいたい40℃くらいのお湯をバスタブにはって、まずは体を軽く流してからお湯に入ります。3分ほどお湯に浸かったら、体と髪を洗ってトリートメントをして、再びお湯に浸かること約10分。ここでしっかり巡りをよくして汗をかきます。その後、浴槽から出たら、足首から先と手首から先に冷たい水をかけます。こうすると、末端が冷えるので血流を上げようとして、さらに血の流れが促されるのです。

お湯の温度は、夜と朝では少し変えています。夜は熱くせず、ややぬるめにするのがポイント。体の中からじわじわ温めて、リラックスして就寝できるようにするのです。逆に、朝はやや熱めのお湯にして、交感神経を優位にして、一日を元気よく始められるようにしています。

これが通常の入浴プロセス。特に難しいことはしていませんが、お湯の温度に気をつけることと、巡りを促すことは意識しています。

入浴後におこなうケア

お風呂から出た後も、肌にとっては大切な時間。体が温まっていて、肌は清潔でやわらかい状態なので、美容成分が肌に浸透しやすいからです。それに、どんどん水分が蒸発して肌が乾燥していくので、すばやくしっかりお手入れしなくてはいけない時間ともいえます。

そこで、私はお風呂から出たら、すぐに全身にオイルを塗っています。これはすでにお伝えした「巡り」を促す美容オイルでのケア。肌にまだ湿り気がある状態だと、オイルの伸びがよく、肌にスッとなじむので、ベタつかなくて心地もいいのです。これで巡りを良くすると、その後につづくケアも効果がアップすると思っています。

そして、美容オイルを顔にもブースター（その後の化粧水を浸透しやすくする導入液）のような意味合いでちょっとつけたら、毛先にもつけて髪全体をタオルでくるみます。その後、すぐに顔のスキンケア「うるおす」と「フタをする」まで済ませれば、全身をひと通りカバーできるので、ホッとひと息。あとは、余裕をもって、腕やスネなど、乾燥しやすい部分を中心にボディクリームを塗って、髪の毛をドライヤーで乾かします。

これが入浴後のプロセス。こうすれば、一瞬の無駄もなくお手入れができ、顔もボディもヘアもうるおった状態に整えられます。

バスタイムを利用したスペシャルケア

余裕があるときには、バスタイムを有効活用して保湿のスペシャルケアをしています。

お風呂でお手入れするメリットは、たくさんあります。浴室内は温かくてスチームで満ちているので、毛穴が開き、汗をかきやすく、肌もやわらかくなるのです。さらに、血液やリンパの流れも促進でき、リラックスできるのでストレスや疲労感を取り除く効果も期待できます。

だから、私は好きな香りや音楽を持ち込んで、心身ともにくつろぎながら、半身浴をしたり、ボディをケアしたり。自分専用のエステサロンにいるような贅沢を味わっています。

特に、お風呂を出ると体がどんどん冷えていく冬は、温かい浴室内のほうがボディケアをしやすいと思うのです。

では、バスタイムにできるお手入れをご紹介しましょう。

◇シャワーマッサージ

シャワーヘッドの半分を手でおおうと、水圧が少し高くなるので、そのシャワー圧を利用して脚やお腹をマッサージします。お湯をあてる向きは、巡りを意識するのがポイント。

最初に、首の後ろにもお湯をあてて、温まった血液とリンパ液を全身に送りましょう。ヒップやお腹は円を描くようにくるくるとお湯をあて、手や脚は先端から心臓に向かって流すようにお湯をあてます。

◇乳液入りのお湯かけ

お風呂から出る直前に、お湯を入れた洗面器に乳液を少したらし、よく混ぜて溶かしたら、全身にザーッとかけます。そうすると、うるおいの膜で体をおおうことができて、肌がしっとりします。

◇ボディのオイル蒸し

お湯を入れたバスタブに美容オイルを数滴たらして浸かるだけ、という簡単な保湿ケア。湯量を少なくして入る半身浴なら、毛穴が開いて汗をたっぷりかくことができ、その後の肌をオイルでなめらかに仕上げられるので、一石二鳥。うるおって乾燥しにくい肌になります。

オイル蒸しをするとき、部分的にお風呂のフタをして顔だけ出したり、傘をさしたりすると、スチームドーム状になってより効果がアップします。

自分ではお手入れするのが難しい背中も、ちょっとしたアイデアでうまくケアができてしまいます。

◇背中の乳液パック

背中を簡単に保湿ケアできるのが、乳液パック。「乳液入りのお湯かけ」よりも一段階、保湿効果が高く、背中を集中ケアできる方法です。

まずは、洗面器にお湯を入れ、そこに乳液を少したらしてよく混ぜて溶かしたら、タオルにたっぷり含ませて軽く絞ります。そのタオルを背中にピタッとのせれば、乳液パックのできあがり。とても簡単です。私は、髪をトリートメントして少し時間をおいているときを利用しておこなっています。

その後、「乳液入りのお湯かけ」と同じように、乳液を溶かした洗面器のお湯を浴びれば、背中だけでなく全身の肌の保湿ケアができます。

◇背中のクレンジング

体の中心線に近い部位は皮脂の分泌が多いので、吹き出物が出やすいゾーン。

首から背中にかけて、ザラザラやポツポツとした吹き出物などが気になるとき、あるいは、夏に向かって肌の露出が増える時期などは、背中をクレンジングしてみましょう。

これは、お風呂に入って体を濡らす前におこないます。まず、美容オイルを背中にたらして、できるだけ全体にまんべんなく広げます。このとき、ゴムべラなどを使って広げるのも◎。お風呂の蒸気で温まってきたら、お湯で湿らせて絞ったタオルを背中にのせて、そのまま約1分待ちます。そうすると毛穴が広がって、毛穴に詰まった汚れなどが浮き上がってくるので、タオルで軽く拭き取ってから、ぬるま湯のシャワーで流します。こうすれば、ザラザラとした毛穴の詰まりや、ポツポツと目立つ吹き出物などをケアできて、肌がつるんとします。

いつもの入浴習慣を見直して、ときにはボディのスペシャルケアをすれば、巡りと保湿の効果で全身がうるおいます。ぜひ試してみてください。

6　見逃しがちな手や首のお手入れも忘れずに

正しいスキンケアが習慣になって、うるおった美しい肌をキープできるようになったら、ぜひ気にかけていただきたいのが、手と首です。

手と首については、顔ほど気にしていない人が多いかもしれませんが、実は、他人からよく見える部位。日焼け止めクリームを塗らないまま日差しを浴びることも多いので、ダメージは少なからずあるはずなのです。さらに、手は水を扱ったり動かしたりと、日常的に酷使していますし、首は姿勢などによってもシワができやすいといわれています。

どちらもメイクでごまかすことができないので、日頃の適切な保湿ケアこそが大切。きちんとお手入れをしていれば、加齢による変化もあらわれにくいので、顔だけではない全体の印象として若々しく見えるようになると思います。

手のケア

もっとも簡単な方法は、朝と夜に顔のスキンケアをするとき、化粧水やクリームを手にまでのばしてしまうことです。顔のお手入れをしていると、クリームなどが手に余ってしまうことってありませんか？　それを、そのまま手に丁寧にのばす、というだけで、だいぶ違うのです。

その際、それぞれの指の側面や、指関節のシワ部分にもなじませることが大切です。力を入れすぎないように注意しながら、指1本ずつにやさしくのばしていきましょう。

手の荒れやカサつきが気になるときは、ハンドクリームでのケアが最良ですが、このとき、美容オイルを1滴たらすのもおススメです。保湿力がアップするので、すぐにしっとり感を得られます。

さらに、ふだんからハンドクリームをすぐに使える状況をつくっておくのもいいと思います。「家全体がドレッサー!?　スキンケアを面倒にしない工夫」（第4章・5）では、乳液を家の各所に置いておくアイデアをご紹介しましたが、それと同じように、自分が長時間、過ごす場所にハンドクリームを常備しておくのです。私の場合、仕事場のデスクにポンプ式のハンドクリームを置いています。手を洗った後や、出勤した後、コンピュータを触っていて手がカサついてきたときなどに、パパッとハンドクリームを手につけるのです。ポンプ式は操作もラクなので、面倒に感じることなく使えます。

私は、午後の仕事を始めるときにひとつのルーティンがあります。それは、お昼休みの終了時に手を洗って、ハンドクリームをつけること。これは、「さぁ、午後の仕事をやるぞ」と自分に喝を入れる儀式ともいえます。こうすると、がんばろうという気持ちがわきますし、クリームの香りがほんのり漂うので、周囲の人にもそのことをさりげなく伝えられます。

また、手の肌がしぼんできたなと感じたら、血行をうながすセルフケアも有効です。手のひらの真ん中を「グー」でパン！　とたたくのです。これだけでも肌が生き生きとして、気持ちもシャキッとします。

余裕があるときに私がよくやっている、とっておきのケアもお教えしましょう。手のくすみやカサつきなどにも効果的なので、「きちんとお手入れしたい」と思っていたら、やってみる価値があると思います。

①ハンドクリーム（私は尿素入りのハンドクリームをよく使っています）を手

や指全体につける。
②ホットタオルで手をおおって蒸し状態にし、角質をふやかす。
③30秒ほど経ったら、タオルで軽くクリームをふきとる。
④再度、ハンドクリームをつける。
⑤手のひらの真ん中をパンとたたく「グーパンチ」で血行をうながす。
⑥最後に、爪の根元（キューティクル）をなでる。

首のケア

私が日頃おこなっている首のケアも、特別なことはありません。手のケアと同じく、朝と夜のスキンケア時に、そのまま首までケアしてしまうだけだからです。でも、それをやるとやらないとでは、大きな違いがあります。

私は20代後半の頃、年齢より老けて見られていたのですが、それは首のシワも原因のひとつでした。首は私のコンプレックスで、家族旅行でリゾートに行っても、私だけはハイネックの服を着ている、といった状態だったのです。

それで「何かお手入れをしなくては」と焦って、「どこのクリームがいい？」な

ど と周囲の人に聞いたりしていました。が、あるとき、思ったのです。

「日々のスキンケアで首まで丁寧にやればいいのでは」と。

それ以来、「うるおす」のステップでは化粧水を首までのばしてつけ、「フタをする」ステップのクリームもつけるようにしました。

特に、クリームは多めに手に取り、フェイスラインに沿ってアゴ裏を耳の下まで流すようにのばし、耳の下から鎖骨まで流すように手を動かします。そう、巡りをうながすイメージですね。ただし、首の真ん中は甲状腺があるので、あまり刺激しないように気をつけて。

これをつづけていたら、30代半ばくらいのとき、ある人から「首のシワが気になるのですが、どうしたらいいですか？」と相談されたことがありました。

「え？　私みたいに首のシワが目立つ人に聞くの？」と驚いたのですが、そういわれて鏡を見ると、いつの間にか首のシワが目立たなくなっていたのです。素直にうれしく思うのと同時に、「あの頃の状態に戻りたくない」という強い思いから、その後もずっとお手入れをつづけています。

今では自然に手が動いてしまうほど習慣になっているので、それほど特別なことをしているとは思っていない、というわけです。

年齢を重ねるごとに、お手入れをしたほうがいい肌の範囲は広がります。若い頃は、顔だけに目を向けがちですが、だんだん首やデコルテ（首元から胸にかけた範囲）もお手入れの対象になってくるのです。ただ、私のように20代でも首のシワが気になるケースもあるので、若いからといって油断しないで、首のお手入れもルーティンに入れてしまうといいと思います。

第6章

ときどき、意識したいこと

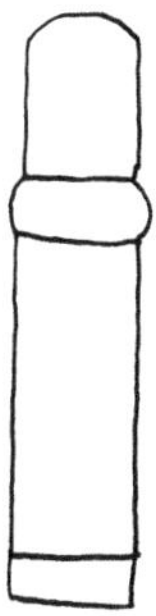

1　美容は、自分自身をケアすることでもある

朝、起きたときにどんよりとした気分であっても、化粧水や乳液で肌をたっぷりうるおわせると、気分がアップして、「さぁ、今日も始めよう」と思える。そんなことはありませんか？

あるいは、落ち込むようなことがあった日の夜、お気に入りのコスメの香りに包まれながら肌のお手入れをしたら、肌も心も癒されて、気分が少し軽くなった、ということもよくあるでしょう。

私は朝と晩、3ステップのケアを中心にスキンケアをしていますが、お手入れを終えると、肌がしっとりうるおうだけでなく、気持ちもうるおったように感じます。もちろん、肌をケアするつもりでやっているのですが、同時に、気持ちまでケアできている。不思議ですよね。なぜでしょうか。

それは、もしかしたら、化粧水や乳液などを肌に浸透させようとして、手のひらを顔に押しあてる動作が、手で顔を包み込むかたちになることも、理由のひとつかもしれません。まるで大切なものをそっと扱っているような、自分自

身をやさしくいたわっているような……そんな感じがしませんか？

つまり、

「肌をケアする＝自分自身をケアする」

ということでもあると思います。


そのスキンケアのときに私がおススメしたいのは、口角を上げて、ほほ笑みながらお手入れをすること。たとえ、本当は気分が沈んでいて、笑う気分ではなかったとしても、ニコッと笑顔をつくるのです。

そうすると、鏡で自分の顔を見たときに「私は幸せなんだ」と脳が思い込んで、幸福ホルモンといわれる「セロトニン」が分泌されるのだそう。それによって、本当に「楽しい」「幸せ」という感情が湧き上がり、免疫機能がアップする効果があるといわれています。さらには、頬や口まわりの筋肉が持ち上がるので、多少のリフトアップ効果も期待できます。

作り笑いでもいいから「ほほ笑むだけでいい」というなら、それほど難しいことではありませんよね。もちろん、ゼロ円です。だから、肌のお手入れをするときは、「ほほ笑みながら」を忘れないように。

こんなふうに、スキンケアは、肌のみならず、メンタルにもいいことがあります。だから、どんなに忙しくても、どんなに疲れていても、できればスキンケアの時間を確保してほしいと思っています。

そうやって自分の手で肌に触れたり、自分の顔を鏡で見たりして、自分自身に向き合っていると、ちょっとした肌のトラブルや体調の変化にも気づくことができ、よりうるおった肌へ、より健康的な生活へと調整するきっかけにもなります。

「肌が荒れているみたい。そういえば、ここのところ寝不足ぎみだなぁ」

「肌がくすんで見える。週末はゆっくり休んで、保湿ケアをしよう」

「最近、肌がカサついてきた。そろそろ加湿器を入れないと」など。

みなさんも、スキンケアの時間を大切にして、肌をケアするとともに、自分自身をケアして、うるおいのある生活を目指してください。

2　ストレスとうまく付き合って、肌も心も明るく元気に

ネガティブな考えにとらわれていると口角が下がったり、イライラしていると眉間にシワが寄ったり、ということはありませんか？　メンタルの状況は目に見えないと思いがちですが、自分では気づいていなくても、表情などにあらわれていることがあります。

また、「脳と肌は直結しているから、心地のいいものを」（第4章・3）でもお話ししたように、ストレスが肌のコンディションに関わってくることもあります。ストレスが溜まると、スナック菓子やチョコレートなどを食べ過ぎて肌が荒れてしまったり、気分が落ちていると、何もやる気にならなくてスキンケアも手抜きの日々がつづいたり、といったこともあるでしょう。

私も、実際、クヨクヨすることがあります。誰にでもツライことはあると思います。そういうことを受け止めつつ、どうやって乗り越えるか、あるいは、うまく切り替えるか、というストレスマネジメントって、とても大切だと思うのです。ストレスと上手に付き合うことができれば、心が平穏で元気になれるし、

肌も健やかな状態をキープしやすいに違いありません。

そう、ちょっと大げさにいえば、

「すべての道は、美肌につながり、心のうるおいにもつながる」

と思うのです。


そこで、私がモヤモヤした気持ちやストレスフルな状況をリセットするときにおこなっている方法をいくつかご紹介します。それぞれのライフスタイルやシーンなどにあわせて、ぜひやってみてください。

◇深呼吸をする

私は、「ため息を3回ついたら、深呼吸を3回する」ということをよくやっています。ため息をつくのは、だいたい心の中に何かモヤモヤしたものがあるとき。その状態だと、無意識のうちに呼吸が浅くなりやすいようなのです。呼吸が浅いと、全身に酸素が届きづらくなって、集中力が低下したり、自律神経が乱れたりすることも。だから、深呼吸。深くゆっくり呼吸をするだけで、気持ちがすーっと落ち着きます。

普通の深呼吸でも、もちろん構いませんが、「4・7・8呼吸」もおススメです。これは、まず息を吐き切った後、4秒かけて鼻から息を吸い、7秒間息を止め、8秒間かけて口から息を吐く、というもの。これによって、心身の緊張状態がほぐされてリラックスできます。ため息をついたときや、イライラしたとき以外に、仕事の帰り道など、気持ちを切り替えたいときにもぴったりです。

◇毒出し日記

イヤなことがあった日や、ネガティブになっているときは、そのことを紙に書き出して毒出しをするのも、効果的な方法。日記や紙などをお風呂に持ち込んで、半身浴をしながら気持ちを思う存分、書き綴るのです。そうすれば、大量の汗とともに、心の内に溜まった毒も排出されて、気分がすっきりすること間違いなし。お風呂から出たら、もうネガティブな自分ではなくなっているはずです。

◇アクセサリーを付け替える

オフィスにいるとき、買い物をしているとき、移動中の電車の中など、イライラしたときのシチュエーションによっては、やれることが限られてしまいます。そんなとき、私は身に付けているブレスレットや指輪を付け替えて、気持ちを切り替えるようにしています。右手に付けていたら、左手に移動させる、というように。そうすると、イライラの原因に向けていたエネルギーの流れを変えられたり、断ち切ったりできるのです。このちょっとした動作だけで、誰にも気づかれず、気持ちを鎮められるので、知っておいて損はありませんよ。

◇ポジティブ変換

気持ちや考え方がネガティブになると、そちらにばかり意識がいってしまって、どんどんネガティブな沼に入っていってしまいます。そういうときには、ネガティブなことをポジティブな言葉に変換して、自分自身に言い聞かせるのも有効です。たとえば、

「疲れた→よくがんばった」

「雨でジメジメして不快→湿り気があって肌にいい」

「クレンジングが面倒→汚れが落とせてすっきりできる」など。

◇コンコン、キャンセル

どうしても気持ちを抑えられず、これまで紹介した方法を冷静にやれないくらい、頭に血がのぼってしまっているときもあるかもしれません。そういうときは、周囲の状況にもよりますが、口に出してしまっても構わないと思います。ただ、不平不満や悪口を口に出してしまったら、その後、ドアをノックするように机の上などを「コンコン」とたたいて「キャンセル」と言い、ネガティブな言葉を取り消しましょう。この音と行動で気持ちにけじめをつけて、ネガティブな感情を残さないようにするのです。

◇デジタル遮断

疲れやストレスを感じたら、ネガティブなニュースには触れないように、スマートフォンやパソコンなどのデジタルを遮断します。自分を傷つける恐れのある情報に触れないだけでも、マイナスの要素を減らすことができるし、絶え間なく降りそそぐ情報から離れられるので、心にゆとりが生まれます。そうして、お風呂に入ったり、美味しいものを食べたり、本を読むなど、好きなことをして、あとは睡眠をたっぷりとりましょう。そうすると、デトックスされたように気分が軽くなるはずです。

◇ぶらぶら散歩

頭にくるようなことがあったり、ストレスが溜まったりしたら、体をゆらゆら揺らしたり、ストレッチやウォーキングなどで体を動かすだけでも、だいぶ変わります。体を動かすことで、それまで固執していた考えや感情が、自然とほぐれるように思うのです。できれば外気に触れると、なお良し。だから、状況が許せば、短時間でも外に出かけて、新鮮な空気を吸いながら、ぶらぶらとお散歩をするといいと思います。

外をのんびり歩いていると、考えや気持ちが整理できるので、アイデアが出ないときや考えがまとまらないときにもいいかもしれません。

3　食べ物にも意識を向けて、体の中から整える

私は、夕方くらいになると、ふいに野菜ジュースを飲みたくなることがあります。自分の体が欲しているということだと思うのですが、そういうときって、ストレスを感じていたり、疲れが溜まっていることが多いような気がします。「脳と肌は直結しているから、心地のいいものを」（第4章・3）でもお話したように、体の見えないところもつながっていて、影響し合っているんですよね。

そう思うと、食事ってとても大事だなと、あらためて感じます。生きていくためのエネルギーは、日々、食べているものが燃料となっているわけで、ある意味、体は食べ物でつくられているといってもいいかもしれません。

肌も体の一部なので、肌のことを考えるときにも、何を食べるかはとても重要です。もちろん、スキンケアもとても大切なのですが、その前提として、健やかな体、健やかな肌があってこそなんですよね。

だからこそ、忙しいときほど意識しているのが、食生活。特に気を付けてい

るのは、発酵食品を摂ることです。ご存知の通り、発酵食品には、乳酸菌をはじめとする善玉菌がたくさん含まれていて、それらが腸内環境を整えるとされています。そのため、体調が不安定になりやすい忙しいときほど、発酵食品である納豆、味噌汁、酢、お漬物、ヨーグルトなどを積極的に食べて、体の中からコンディションを調整しようと心がけているのです。

また、「抗酸化」も意識して、色の濃い野菜などの食材も選ぶようにしています。抗酸化とは、体を酸化させる活性酸素の働きを抑える作用のことで、肌の老化にも関係しているといわれています。そういうことでいうと、色の濃い野菜は、日差しが強い過酷な環境下でも、色素成分が酸化させない力をもっているのです。たとえば、ピーマン、トマト、ホウレンソウ、ニンジンなど。より手早く気軽に摂りたいときには、野菜ジュースも便利。こういうものを食べたり飲んだりすると、元気になるように思います。紫外線のダメージを受けやすい夏にも、よく好んで飲んでいます。

その一環で、体や肌が錆びついている（酸化している）と感じたときに、「赤いもの縛り」をやることもあります。これは、抗酸化作用を期待して、「赤い色の野菜を摂ろう」と自分なりにルールを決めるやり方。トマトジュースやオレンジジュース、キャロットジュース、ハイビスカスティなど、赤やオレンジの鮮やかできれいな色のものを食べたり飲んだりするのです。視覚的にもインパクトが強いので、気分も明るくなります。

そのほかにも、気力がダウンしてきたと感じたら、梅干しや赤いニンジンを食べたり、デトックスしたいと思ったら、ニンジン、リンゴ、クエン酸を摂ったりと、心身の状況に合わせて食べ物にも気を使うようにしています。

そして、当たり前のことではあるのですが、バランスよく食べることが大切だと思っています。外食がつづくと栄養が偏るのではないかと心配になるし、いつも似たような食事ばかりでは不足する栄養素が出てくるかもしれません。「偏った食べ方はしない」ということだけでも、日頃から気をつけることが大切だと思います。

それから、もうひとつ。

私は食べることが好きで、食いしん坊だから、「美味しいものを食べたい」という想いが強くあります。これは、食材や料理の味という意味での「美味しさ」ももちろんですが、そのときの気持ちや状況も「美味しく感じるかどうか」に影響するように思います。

たとえば、仕事をしながらランチをとったりすると、意識はほとんど仕事のほうに向いていて、気づくと食べ終わっていた、なんていうことがあります。さらには、何を食べたか、どんな味だったかをよく覚えていないこともあれば、食べている途中でお腹いっぱいになってしまうことも。そうすると、とっても残念な気分になるんですよね。

それでは、気持ちのうえで満足できないだけでなく、体にも良くない気がします。だから、私は、「ゴハンは美味しいと思って食べたい」「食事を心から楽しみたい」と思っています。

食べ物は、心身の健康のためにも、きれいな肌のためにも大切なもの。ふだんからバランスの良い食事を、美味しくいただくようにするとともに、体調によって何を食べるか、どのように食べるかも、少し気にしてみるといいのではないでしょうか。

4　心地よさを追求して、自分を上機嫌に

みなさんは、どんなときに「心地いい」と感じますか？

あわただしく時間が過ぎていく日常生活の中では、心地いいと思える場面はそれほど多くつくれないかもしれません。でも、たとえわずかな時間であっても、自分が心地よく、上機嫌になれる時間を過ごすことが大切だと思います。

趣味に没頭する、スポーツで体を動かす、お菓子をつくる、気の合う仲間とおしゃべりをする、ベランダや庭に座ってお茶を飲む、など、何でもいいのです。

そうやって少しでも上機嫌でいられる時間が過ごせれば、イライラしていた気持ちがおさまったり、落ち込んでいた気分がアップしたり、不安定な感情が平穏になったりと、ストレスが解消される効果も期待できるでしょう。もちろ

ん、心が豊かになって、肌にも好影響を与えられる気がします。

みなさん、それぞれにとって心地いいこと、上機嫌になれることがあるといいと思いますが、私がやっていることをいくつかご紹介します。興味があれば、試してみてください。

◇音楽の多重がけ

私は、太陽や海が好きなので、リゾートに遊びに行く時間をできるだけ確保したいと思っていますが、実際は、そんなにしょっちゅうバカンスに行くことはできません。それどころか、せっかくの日曜日が掃除だけで終わってしまう、なんてこともあります。

そんなときにするのが、「音楽の多重がけ」。まずは、小鳥のさえずりや小川のせせらぎなどの環境系の音を、自分から少し離れた位置で流します。そのうえで、自分の好きな音楽をかけるのです。そのときによって、楽しい気分になれる曲をかけることもあれば、リラックスできる曲にすることもあります。そうすると、ベースとなる環境音楽と好きな音楽が立体的に重なって、非日常の雰囲気の中で過ごしているような感覚になれるのです。

そうして、ベランダでシャンパンを飲んだりすれば、まるで海辺のリゾートホテルで優雅に過ごしているような気分に浸れます。

◇エスニックナイト

これも、海外旅行をしたかのような気分を味わえる方法のひとつ。エスニック料理を用意して、音楽もエスニック調のものをかけるのです。可能であれば、庭やベランダにテーブルと椅子を出して、そこに座って料理を味わうと最高！

エスニックに限らず、自分が行きたいと思っている国や地域などがあれば、試してみる価値アリ、です。

◇バスソルトやバスオイル

あたたかいお湯に浸かるバスタイムは、私にとって至福の時間。湯船に入ってホッと息をついたり、半身浴で汗をかいたりするだけでも、十分に満足できるのですが、ここでもうひと工夫すると、さらに心地よさが増します。

たとえば、バスソルトやバスオイルなどの入浴剤を使うのも、簡単にできる方法。ふわーっといい香りに包まれていると、体の芯から温まる気がします。

そのほか、キャンドルを灯したり、バスルーム用のカラフルな照明をつけたりするのもいいと思います。

◇手触りのいいバスローブ

私はふわふわとした手触りのバスローブをもっているのですが、それに触れるだけでも心地よくて上機嫌になる、というくらいお気に入りなのです。そのバスローブがフックに掛かっているのを見ると、「早くそれを身につけたい」と思ってしまうほど。入浴後、水滴を拭き取らないまま美容オイルを全身に塗り、バスローブをふわっと体に巻きつけると、肌をやさしく包み込んでくれて、心までほっこり温まる感じがします。

バスローブを使う習慣がない人は、バスタオルにこだわってみるのもいいかもしれません。見るだけで気分が上がるようなカラフルな色や、体全体をおおってくれるような大判サイズのタオルもおススメです。

5　自分に向き合い、必要に応じてアップデートを

「この映画、おもしろいよ」

そう誰かにすすめられても、昔は「いや、私はこっちのほうが見たいから」など、耳を貸さないことがありました。でも、今は耳を傾けるようにしています。そうして映画館に足を運んでみたら、意外にも、感動のあまり座席で泣いてしまった、ということも。さらに、そこでたまたま見つけたパンフレットを読んだら興味が湧いて、また新しい映画に出会える、ということもあります。

そうやって、何かがきっかけとなって新しい扉がひとつ開くと、連鎖するようにパンパンパンと扉が開いていくことがあるんですよね。

だから、自分の考えだけで世界をつくってしまわずに、さまざまな意見や考

えを受け入れようとするオープンなマインドをもっていることって、とても大切だと思います。

特に現代社会は変化がめまぐるしく、これまで常識と思っていたようなことも、日々、アップデートされていきます。そのため、自分は正しいと思っているつもりでも、いつの間にか世の中から置いてきぼりになってしまっていた、ということもあり得ます。思い込みや先入観はなくして、新しい意見や情報をどんどん自分の中にインプットしていきたいなと思っています。

これは、もちろん美容においても同じです。

スキンケアでいえば、化粧品の研究開発は日々進んでいて、新しい成分や技術を盛り込んだコスメがどんどんラインアップされます。効果や使い心地がより良くなっているので、自分に合う化粧品も変わっている可能性があるのです。また、年齢や季節、シチュエーションなどによって、自分の肌も変化します。これまで肌に合うからと思って使っていた化粧品でも、いつの間にか合わなくなっていた、ということもあるでしょう。

そのため、「もうずっとこのコスメでいい」と思い込まずに、新しい情報をキャッチし、自分の肌状態に目を向けて、コスメやスキンケアをアップデートしていくといいと思います。

ただ、逆のことをいうようですが、情報に振り回されないことも、同じくらい大切です。というのも、人それぞれ生まれもった肌質があり、みんなが同じではないため、誰かが「これは効く」といったとしても、すべての人に効くとは限らないからです。

大事なことは、さまざまな情報がある中で、「自分にとってどうか」という視点をもつことなのではないかと思います。そこがちょっと難しく感じるかもしれませんが、これまでお伝えしてきたように、次のポイントをおさえていれば、それほど迷うことはないと思います。

◆日頃から自分の肌状態をチェックすること。
◆自分が心地いいと感じるコスメを使うこと。
◆がんばれないときやコスメが肌に合わないときは、無理をしないこと。

そして、これらを踏まえたうえで、

◆3ステップの「保湿ケア」をつづけること。

ふだんから自分の肌や気持ちに向き合って保湿ケアをしていれば、うるおいのある美しい肌をキープできるはずです。

みなさんも、さっそく今日から、実践してみてください。

おわりに

最近、同級生から「還暦を迎えた」とのメッセージが続々と届くようになりました。幼い頃は、少し年上の女の子でも「お姉さん」に見えていたので、60歳の女の人なら「ザ・おばあちゃん」のような姿を想像していたかもしれません。

そんな私自身がもうすぐ60歳になろうとしている……。感慨深いものがあります。

この本でも書きましたが、物心がついたときから美容が身近なものだったからこそ、美容から遠ざかりたくて〝美肌反抗期〟を起こし、ひどい〝肌落ち〟も経験しました。

そうやって、どん底まで落としてしまったのも自分ですが、「これではいけない、なんとかしなくちゃ」と肌に意識を向けて、自分の手をゴッドハンドにしてお手入れをしようと切り替えたのも自分。そうして這い上がってV字回復をし、うるおった肌に整えることができたのも自分です。

今から思えば、肌落ちしてツライ時期も、そこから脱却できたときも、小さい頃から体に染みついていた保湿ケアはそれなりにつづけていました。ある意味、母が授けてくれた美容の習慣があったから、あれ以上ひどい肌落ちをしなくて済み、それを軸に肌を立て直すこともできたのだと思います。

あらためて感じるのは、肌は無口で何も言わないけれど、心を配ってお手入れしていれば、しっかり育ってきれいになる、ということです。

もし過去の私と同じように、肌に対して自信をなくしている方がいたら、この本で紹介している「落とす」「うるおす」「フタをする」のケアを実践してみてください。また、美容情報やステキなコスメがあふれている中で、何をしたらいいかわからなくなっている方も、いったん立ち止まってこのシンプルなステップを踏んでいただければと思います。そうすれば、肌にうるおいが行きわたって美しい肌を手に入れられるのではないかと考えています。

今は、美容に関する研究開発もめざましく、新しい成分や技術も次々と登場しています。そういう最先端の美容を取り入れるにしても、肌の基礎ができていれば、より効果を発揮させられると思うのです。

人生100年時代。誰にとっても「今が一番若い」とき。肌のお手入れを諦めず、これからもずっと「うるおった美肌」を手にするために、この本が少しでもみなさんのお役に立てればうれしく思います。

最後に、本書の企画・制作に携わってくださった編集者の高橋さん、雷鳥社の安在さんに、この場を借りてお礼申し上げます。ありがとうございました。

オレンジ色のワンピースを着て
ハッピーな一日に。

小林ひろ美

小林ひろ美

美容家
美・ファイン研究所 主宰
リバイタライズサロン「クリーム」ディレクター

大学卒業、米国留学の後、語学力と国際的センスを生かして翻訳や輸入業に携わる。1991年、日本を代表する美容研究家である母・照子とともに株式会社美・ファイン研究所を設立。1998年には、リバイタライズサロン「クリーム」をオープンし、心とからだのバランスを調整し、活力を取り戻すトータルビューティサロンとして、一般女性から女優、政治家にリラクゼーションを提供。自身の経験や感覚に基づいた理論と効果的な美容法が多くの支持を集め、テレビや雑誌をはじめ、商品開発のコンサルティングなど、幅広く活躍中。

美容のこたえ

2023年9月30日　初版第一刷発行

著者　小林ひろ美

イラスト・デザイン　増喜尊子
取材協力　楢﨑裕美
校正協力　小林美和子
編集　高橋知子

印刷・製本　シナノ印刷株式会社

発行者　安在美佐緒
発行所　雷鳥社
〒167-0043
東京都杉並区上荻2-4-12
tel　03-5303-9766
fax　03-5303-9567
http://www.raichosha.co.jp
info@raichosha.co.jp
郵便振替　00110-9-97086

ISBN　978-4-8441-3712-2　C0077